LES AVENTURIERS DU TRÈS TRÈS LOIN

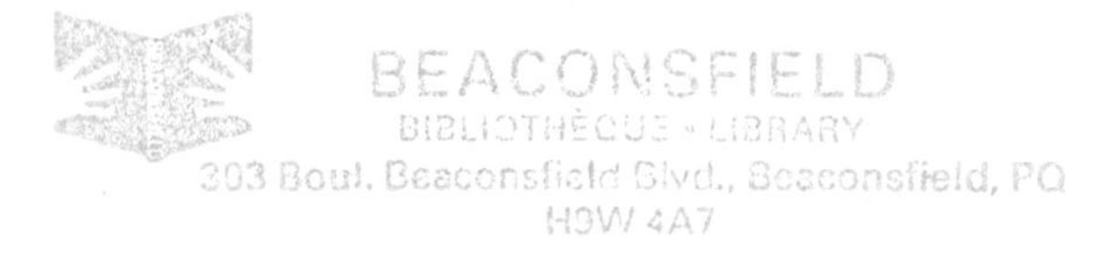

Dans la même série :

Fergus Bonheur
Hugo Lachance (à paraître)

Des mêmes auteurs :

Chroniques du bout du monde
Chroniques du marais qui pue

Traduit de l'anglais par Amélie Sarn

Titre original : *Far-Flung Adventures*
Book two : *Corby Flood*

First published in Great Britain by Doubleday,
an imprint of Random House Children's Books

Pour l'édition française :

Loi 49-956 du 16 juillet 1949 sur les publications
destinées à la jeunesse
ISBN : 978-2-7459-2321-9
www.editionsmilan.com

PAUL STEWART • CHRIS RIDDELL

ZOÉ ZÉPHYR

MILAN

MÉSAPOLI
FEDRUN

DORALAKIA
ISSARI
LA CÔTE DE DALCRÉTIE
L'ÂNE ENRHUMÉ
LA CHÈVRE RIEUSE
LE COCHON DANSANT
LE BŒUF COMPTEUR

Pour Julie
P. S.

Pour ma belle-mère, Ann
C. R.

1
Une chanson infiniment triste

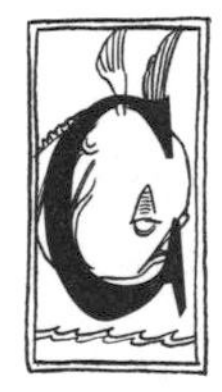

et endroit est silencieux et sombre. Le sol de la forêt tangue. Parfois, je manque de tomber mais les parois de l'arbre dans lequel je suis prisonnière me retiennent. Il fait si sombre. Oh, j'aimerais tant revoir le soleil.

Comment suis-je arrivée ici ? Je ne me rappelle même pas…

Ah oui, c'est vrai. J'ai suivi les pétales sucrés qui fondaient sous ma langue et puis je suis entrée dans cet arbre, et maintenant je suis prisonnière.

Il n'y a plus de soleil. Seulement du silence, de l'obscurité et du tangage. Je suis triste. Si triste que mon cœur est sur le point de se briser.

Je vais chanter pour faire sortir toute cette tristesse. Peut-être que si je chante, la forêt va arrêter de remuer, que le soleil va revenir et que mon cœur ne va pas se briser… du moins pas tout de suite.

Le paquebot *Euphonia*, illuminé de lumières étincelantes, glissait sur une mer d'huile luisante sous la lune. Ses cheminées laissaient échapper une fumée cotonneuse, ses flancs étaient parsemés de hublots éclairés et, sur le pont, déambulaient des promeneurs bien habillés qui profitaient des étoiles et de l'air de la nuit.

C'était magnifique, magique…

Zoé Zéphyr tendit la main pour toucher la vitre qui protégeait le poster aux couleurs fanées. Sur la pointe des pieds, elle passa le bout de ses doigts sur les lettres en haut de l'affiche.

*L'*Euphonia, lut-elle, *Empereur des mers. Venez passer le séjour de vos rêves à bord de ce miracle de technologie nautique ! Traversez les océans du monde et explorez des lieux magiques ! Réservez dès maintenant une place pour la croisière de luxe dix escales et recevez un exemplaire du célèbre* Guide Hoffendinck.

Zoé serra les doigts sur la vieille couverture en cuir du livre qui ne la quittait jamais.

– C'est pas un *Guide Hoffendinck* que tu as là ? grogna une voix morne.

Zoé se retourna. Le capitaine Boris Belvédère se tenait devant elle. Le capitaine, qui ne débordait jamais de joie, paraissait encore plus sombre que d'habitude.

Avec ses joues et ses moustaches pendantes, il ressemblait à un morse triste.

– Je ne pensais pas qu'il en restait un à bord, grommela-t-il. Après tout, ce n'est pas comme si l'*Euphonia* proposait toujours des escales intéressantes. D'ailleurs, il ne fait plus d'escales du tout. De Dandon au Port-du-Haut et retour ! C'est tout !

Le ton du capitaine était lugubre et teinté d'amertume.

– C'est lamentable, soupira-t-il. Nous ne sommes plus bons qu'à transporter des marchandises, ce bon vieil *Euphonia* et moi. Des marchandises et quelques passagers bizarres qui n'ont pas les moyens de voyager sur un autre navire.

Il toisa Zoé d'un œil désapprobateur.

– Moi, je trouve que c'est un très beau bateau, dit Zoé. Et après la grande déception de Papa…

Sa voix vacilla et elle se tut un instant avant de reprendre.

– … Maman nous a dit que nous devions nous appliquer à prendre le bon côté des choses et à rester heureux quoi qu'il arrive.

Sur ces mots, elle adressa au capitaine un regard qu'elle espérait significatif.

– Oui, euh… hum…

Le capitaine tourna les talons.

– C'est parfois plus facile à dire qu'à faire, jeune fille ! grommela-t-il. Surtout quand la pompe à huile du moteur vous lâche et que votre premier *et* votre deuxième mécanicien vous ont abandonné pour des postes mieux payés !

Il posa les yeux sur la peinture écaillée de son vieux navire.

– Enfin, à quoi s'attendre d'autre quand plus rien ne fonctionne ? poursuivit-il. Les parasols automatiques, le bastingage réglable, les brise-vent oscillants…

Il fit un grand geste.

– L'*Euphonia* est bon pour la ferraille, marmonna-t-il en secouant la tête. Comme moi !

– J'ai une bonne nouvelle, capitaine, fit une voix mielleuse derrière Zoé et le capitaine.

Tous deux se retournèrent. Le lieutenant Jon-Jolyon Lèchecœurcraque, premier officier à bord de l'*Euphonia*, leur souriait suavement.

– Arthur a réussi à réparer la pompe à huile, dit-il. Elle fonctionne à nouveau. Du moins pour le moment.

– Une bonne nouvelle ? lança le capitaine Belvédère. Ah ! Si vous le dites, Lèchecœur, si vous le dites...

Le capitaine s'éloigna à pas lents.

– Au cas où vous auriez besoin de moi, je suis dans ma cabine, ajouta-t-il sombrement. Mais bon, je ne vois pas pourquoi qui que ce soit aurait besoin de moi...

Jon-Jolyon adressa un bref sourire à Zoé.

– Comment va la jeune Zoé Zéphyr, aujourd'hui ? demanda-t-il.

– Très bien, merci, dit Zoé.

– Et vos délicieux parents ?

– Très bien également.

– Et vos quatre frères si énergiques ?

Zoé hocha la tête. Elle savait pertinemment que le lieutenant ne s'intéressait vraiment qu'à un seul membre de la famille Zéphyr.

– Comme d'habitude, dit-elle, et avant que vous le demandiez, ma charmante sœur Séréna va très bien aussi !

Jon-Jolyon sourit.

– Heureux de l'entendre. Vous lui présenterez mes amitiés, s'exclama-t-il en faisant demi-tour… Et j'espère que nous dînerons ensemble, ajouta-t-il par-dessus son épaule.

Le sourire de Zoé s'effaça dès que le lieutenant eut disparu. Elle ouvrit le *Guide Hoffendinck* et prit le crayon accroché autour de son cou par une ficelle. Elle écrivit…

LES ÎLES DE L'ERMITE

Ces petits rochers, plusieurs centaines en tout, étaient habités par des pêcheurs ermites. Ils sont une escale idéale pour un pique-nique. Consultez le capitaine pour les horaires de marées et emportez toujours une petite barque en cas d'urgence.

Les îles les plus intéressantes sont :

Le roc de Mortimer : très rocailleux comme son nom l'indique, c'est l'abri d'une sirène légendaire si hideuse qu'elle serait capable de faire mourir de peur les pêcheurs qui osent lever les yeux sur elle.

LA VIEILLE SUZANNE

L'îlot de Stefan : il est couvert d'une algue grise extrêmement douce et épaisse de cinq centimètres. S'y cachent de nombreux petits crabes.

Le vieil homme de Fub : lieu de nidification de gobies à queue bleue. À voir absolument.

À NE PAS MANQUER :

Les poissons volants de la pleine lune de De Witt, également nommés poissons d'amour. Lorsque l'éclat de la lune se reflète sur la mer, les bancs de ces extraordinaires poissons offrent un spectacle merveilleux : ils sautent au-dessus des vagues en formant des arcs élégants.

Une légende raconte que deux personnes assistant ensemble au vol des poissons d'amour tombent instantanément amoureuses l'une de l'autre.

NOTES

Lieutenant Jon-Jolyon Lèchecœurcraque

Points positifs

Bonnes manières

Sourit souvent

Plutôt beau
(si on aime
ce genre)

Vous demande toujours
si vous allez bien

Son uniforme est
toujours propre.

Points négatifs

Se ronge les ongles

Sourit tout le temps

En fait toujours
un peu trop

Se met trop
de gomina

N'écoute jamais
ce qu'on lui dit

Ne s'intéresse
qu'à Séréna

Passe son temps
à essayer
de l'impressionner
en racontant
qu'il réussit
tout.

Zoé cessa d'écrire un instant et regarda pensivement les vagues. C'était si étrange, songea-t-elle, de prendre des notes sur les gens qu'elle rencontrait à bord au lieu d'écrire sur les lieux intéressants mentionnés dans le *Guide Hoffendinck*.

Quand ils avaient embarqué sur l'*Euphonia*, l'idée de tous les endroits fabuleux qu'elle visiterait durant le trajet jusqu'au Port-du-Haut l'avait fait rêver. Jusqu'à présent, Zoé ne connaissait que la grande maison blanche où elle avait vécu durant les huit premières années de sa vie.

Mais elle avait rapidement découvert qu'elle devrait se contenter de regarder de loin les endroits intéressants décrits par le guide.

Enfin, elle pouvait toujours lire ce que le guide en disait. Elle remarqua un minuscule point noir à l'horizon.

Était-ce le roc de Mortimer ? se demanda-t-elle. Ou l'îlot de Stefan ? Elle soupira. Elle était beaucoup trop loin pour le savoir.

À cet instant, Zoé entendit des murmures et des pas étouffés venant de l'escalier qui menait aux cabines au-dessus d'elle.

« Oh-oh, pensa-t-elle en refermant son guide. Voilà les Chapeaubas. »

En effet, M. et Mme Chapeaubas apparurent en haut des marches. Ils portaient tous deux de hautes coiffures coniques agrémentées de rabats protège-oreilles et assorties à leurs longs manteaux aux multiples poches. À chaque fois que Zoé rencontrait le couple, M. Chapeaubas claquait des talons en hochant cérémonieusement le menton à son adresse tandis que Mme Chapeaubas souriait. Ils ne manquaient jamais de lui dire bonjour et de lui adresser quelques mots. D'ailleurs, c'était bien ça le problème : Zoé avait beau tendre l'oreille, elle ne comprenait jamais rien à ce qu'ils disaient.

M. ET Mme CHAPEAUBAS

Parfois, M. Chapeaubas marmonnait et sa femme souriait d'un air entendu comme s'il venait de se montrer extrêmement pertinent. Mais Zoé, quant à elle, ne distinguait qu'un murmure inaudible.

Parfois, c'est Mme Chapeaubas qui prenait la parole, et son mari acquiesçait vigoureusement. Mais là aussi, Zoé ne percevait qu'un léger murmure.

Une fois, elle avait tenté sa chance en répondant qu'elle allait « très bien, merci », et M. et Mme Chapeaubas l'avaient regardée comme si elle était folle. Lui avait haussé les sourcils, son sourire à elle s'était figé et ils avaient poursuivi leur chemin en échangeant des commentaires perplexes que Zoé, bien entendu, n'avait pas du tout compris.

Il vaut mieux les éviter, songea-t-elle.

Elle se glissa par la porte qui menait au pont tribord.

L'HOMME DE LA CABINE 21

Il faisait bon sur le pont. Le soleil brillait dans un ciel sans nuage. Après la semi-obscurité du hall, Zoé fut éblouie. Elle se frotta les yeux et avança à l'aveuglette. Elle trébucha sur quelque chose.

C'était une jambe. Enfin, deux jambes qui appartenaient à l'homme de la cabine 21. Il était assis dans un transat. Il portait des lunettes noires, était vêtu d'un costume blanc et chaussé de souliers bleu marine. L'homme de la cabine 21 portait toujours des lunettes noires, un costume blanc et des souliers bleu marine. Et il était toujours dans le même transat mécanique, sur le même pont. Du moins, quand il ne se trouvait pas dans la cabine 21.

– Pardon, s'excusa poliment Zoé, tout en pensant que ce n'était pas sa faute et que c'était plutôt l'homme de la cabine 21 qui aurait dû lui demander pardon à elle.

Mais il n'en fit rien. Il ne réagit même pas aux excuses de Zoé. Il était impossible de savoir s'il l'avait entendue.

Il était comme ça, l'homme de la cabine 21.

Il passait son temps installé dans son transat face à la mer. Personne ne pouvait savoir s'il regardait un point à l'horizon, s'il admirait les reflets de la mer ou s'il dormait.

C'était bien sa chance, se dit Zoé, d'éviter les Chapeaubas pour tomber sur l'homme de la cabine 21. Elle secoua la tête et remonta en suivant le bastingage. Elle passa le pont principal et se dirigea vers la proue du bateau.

C'était à cet endroit qu'auparavant se trouvaient les cabines de luxe. Celles avec les immenses salles de bains, les salons démesurés et les chambres de la taille de salles de bal. La cabine 21 était la dernière qui restait. Les autres avaient été détruites et transformées en cale.

Zoé arriva à la proue où – comme d'habitude – il n'y avait personne. C'était la raison pour laquelle Zoé aimait y venir.

Les Chapeaubas s'aventuraient rarement loin de leur cabine. L'homme de la cabine 21 jamais. Quant aux membres de sa famille, ils étaient bien trop occupés pour venir profiter de la vue.

Ne restaient que les cinq sinistres bonshommes vêtus de costumes élégants et coiffés de chapeaux vert bouteille qui avaient fait toute une histoire au moment du chargement de leurs bagages à Dandon. Ils ne parlaient qu'entre eux. Et se taisaient aussitôt quand Zoé ou qui que ce soit d'autre passait près d'eux.

Contrairement à tous ces gens, Zoé adorait se tenir tout à l'avant du bateau et sentir le vent dans ses cheveux et les rayons du soleil sur son visage. Elle regardait le navire fendre les flots turquoise. Ça lui faisait penser à une paire de ciseaux coupant un tissu soyeux et infini.

Soudain, couvrant le ressac et le grondement des moteurs, Zoé entendit un son étrange. C'était une longue plainte triste. Triste et curieusement monotone. Zoé songea d'abord qu'il s'agissait des mouettes, mais

le bateau naviguait bien trop au large… Il ne s'agissait pas non plus du vent sifflant dans les cordages…

Quittant la proue, Zoé fit quelques pas et s'immobilisa. Elle pencha la tête d'un côté.

Le bruit semblait venir de bâbord. Elle fit un autre pas et s'immobilisa de nouveau pour écouter. Non, ça venait de tribord. Elle revint sur ses pas.

Non, peut-être bâbord finalement.

Elle finit par comprendre qu'elle entendait aussi bien de bâbord que de tribord parce que, en fait, le chant provenait de l'escalier qui se trouvait entre les deux. L'escalier qui menait à la cale.

Elle monta en haut des marches et écouta plus attentivement encore. La tête penchée et les sourcils froncés, elle était entièrement concentrée.

La plainte mélancolique montait et descendait en vagues régulières. On aurait dit un loup hurlant à la lune, ou un oiseau solitaire appelant ses congénères.

C'était la chanson la plus triste que Zoé ait jamais entendue.

Elle aurait aimé descendre l'escalier pour savoir qui chantait ainsi, mais la porte de la cale – correspondant aux anciennes cabines 22 à 40 – était fermée et seul le capitaine Belvédère possédait la clé.

De plus, la cloche annonçant le repas venait de retentir.

2
L'Empereur des mers

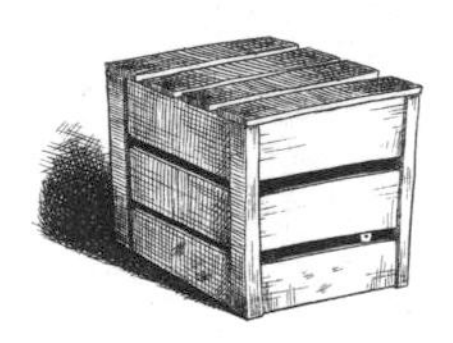

u'est-ce que c'était ? Ça ressemblait aux cymbales du palais en plus distant.

Quand les cymbales du palais sonnaient, la petite fille venait m'apporter de l'herbe fraîche et des fleurs sucrées. Mais je sais que ça ne peut pas être les cymbales du palais parce que la petite fille ne vient pas. Ne vient plus...

Je suis piégée dans cet arbre creux et la petite fille ne vient plus maintenant ; il n'y a plus que ce drôle d'homme avec la tête verte et les pieds qui grincent. L'eau qu'il me donne est croupie mais les pétales blancs et sucrés sont délicieux...

Je ne l'ai pas vu depuis longtemps, et j'ai faim et soif... et je suis si triste.

– Qu'est-ce qu'Arthur attend ? demanda le capitaine Belvédère d'un ton maussade.

Il tapotait impatiemment la nappe blanche du bout des doigts.

– Je vais le chercher, capitaine, proposa le lieutenant Lèchecœurcraque de sa voix mielleuse.

Il se leva et inclina la tête :

– Mesdames, si vous voulez bien m'excuser…

– Oui, bien sûr, répondit Mme Zéphyr avec un grand sourire.

Alors que le lieutenant quittait la salle à manger, elle se tourna vers sa fille aînée.

– Il est si poli, ce jeune homme ! Qu'en penses-tu, Séréna ? Bien sûr, il se gomine un peu trop les cheveux mais à part ça…

Zoé rit sous cape et Séréna lui jeta un regard noir avant de se tourner vers sa mère.

– Maman, je t'en prie, murmura-t-elle en rosissant, c'est très embarrassant.

Ils étaient tous assis autour d'une des trois tables rondes de la salle à manger. Au centre de chaque table trônait un grand couvercle argenté qui était relié au plafond par un

tuyau un peu tordu. Un instant plus tard, la voix du lieutenant Lèchecœurcraque se fit entendre au-dessus d'eux.

– Je me fiche pas mal que vous soyez occupé à réparer la pompe à huile du moteur, Arthur ! criait-il. Le capitaine veut manger ! Et moi aussi !

Zoé prit son *Guide Hoffendinck* et l'ouvrit.

ce qui n'est pas plus mal, car ce n'est pas recommandé quand on vient de manger.

L'ÎLE SOLITAIRE DE SKERRY

Cette île est célèbre pour être devenue le refuge du capitaine Lemuel Gibbons, après le naufrage de son navire – le *Bonnie Rose* – sur la côte, il y a près de deux cents ans.
Tout son équipage a été secouru mais le capitaine a refusé de quitter son bien-aimé navire. Il est resté sur l'île durant vingt-cinq ans pour essayer de le remettre à flot. Il se nourrissait de bulots cracheurs et faisait la lessive des bateaux de passage en échange d'un peu de tabac à priser et d'alcool.
C'est ainsi que sont nées les expressions « aussi net qu'une chemise de Gibbons » et « comme un éternuement de Lemuel un jour de lessive ».

À NE PAS MANQUER :

Les bulots cracheurs (*Buccinum crachotis*) : de temps en temps et sans raison apparente, ils crachent un liquide verdâtre. On ne les trouve que sur l'île solitaire de Skerry.

L'épave du *Bonnie Rose*. Au large de la côte sud-est, elle n'est plus maintenant qu'un tas de bois couvert de bulots et de berniques dépassant des vagues.
La maison dans les arbres du capitaine Lemuel Gibbons : elle se trouve tout en haut d'un pin Skerry. Seuls les grimpeurs les plus expérimentés et non sujets au vertige peuvent la visiter.
La baie de la Lessive : plage de sable au nord de l'île où

NOTES

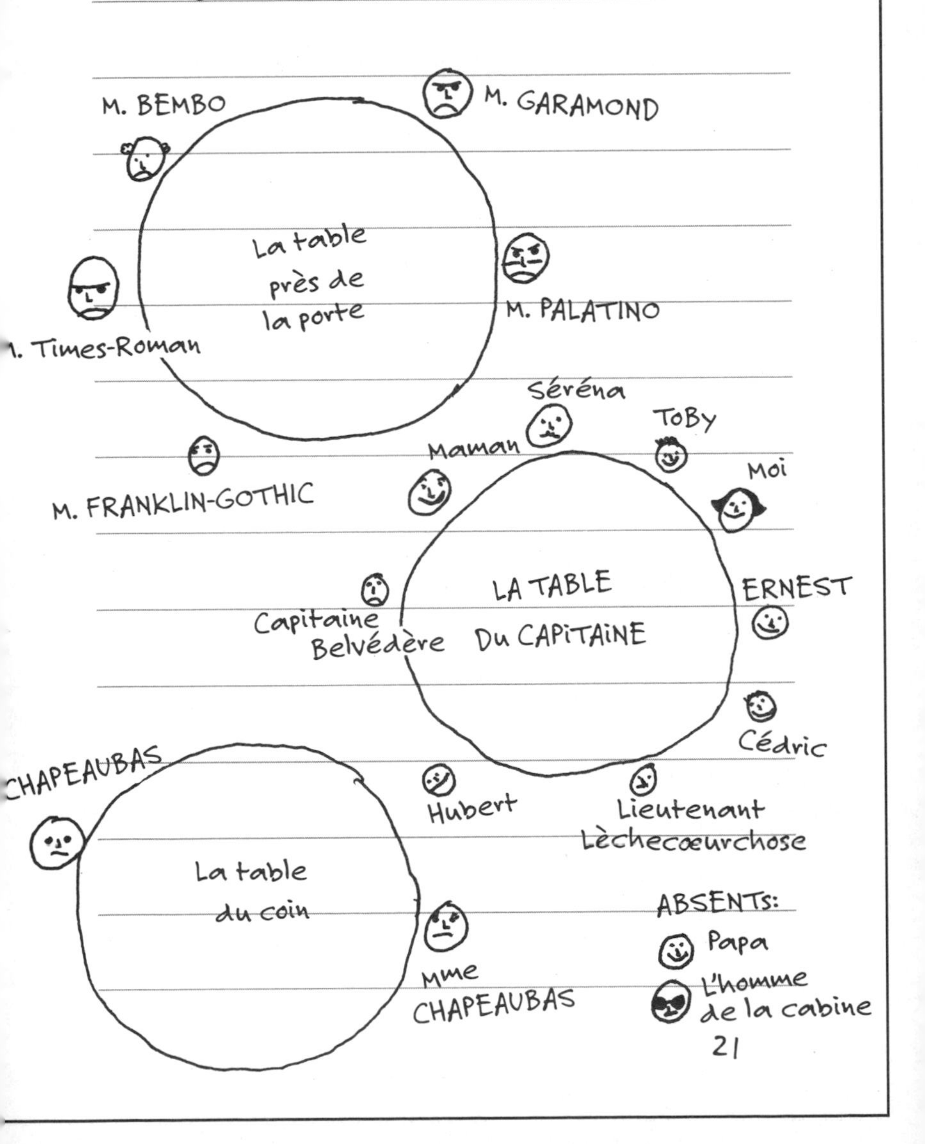

La salle à manger de l'Euphonia
M. BEMBO
M. GARAMOND
La table
près de
la porte
M. PALATINO
M. Times-Roman
M. FRANKLIN-GOTHIC
Séréna
ToBy
Maman
Moi
LA TABLE
Du CAPiTAiNE
Capitaine
Belvédère
ERNEST
Cédric
CHAPEAUBAS
Hubert
Lieutenant
Lèchecœurchose
La table
du coin
ABSENTS:
Papa
L'homme
de la cabine
Mme
CHAPEAUBAS

Zoé dessina les lunettes de soleil de l'homme de la cabine 21 et lâcha son crayon. Ses yeux se posèrent sur l'autre page de son guide.

Quelque part, non loin d'ici, se trouvait l'île solitaire de Skerry. Quel goût pouvaient bien avoir les bulots cracheurs ? se demanda-t-elle. Et qu'est-ce que c'était exactement que du « tabac à priser » ?

Elle décida de demander plus tard à son père ; ça pourrait le distraire un peu et lui faire oublier quelques instants sa grande déception.

– Je vous demande de m'excuser, dit le lieutenant Lèchecœurcraque en revenant. Le cuisinier m'informe que le dîner sera servi incessamment.

Les cinq sinistres bonshommes aux costumes élégants assis à la table près de la porte s'arrêtèrent de chuchoter et levèrent la tête.

– Le cuisinier ! murmura Toby, le plus jeune frère aîné de Zoé, à Cédric, l'autre frère aîné de Zoé. Il veut dire le troisième mécano !

Les quatre frères ricanèrent.

– Un peu de calme, les garçons, les reprit sévèrement Mme Zéphyr.

Séréna adressa un charmant sourire au lieutenant qui se rasseyait.

– Tout est parfait, Jon-Jolyon, dit-elle doucement.

Puis elle donna un coup de coude à Zoé.

– Pose ce livre, lui ordonna-t-elle à voix basse.

Zoé referma son guide. Le capitaine Belvédère avait les yeux perdus dans le vague.

– Tu ne quittes pas ce bouquin, on dirait, grogna-t-il d'une voix désabusée. Ça doit être le dernier exemplaire à bord.

– Certainement, acquiesça Lèchecœurcraque suavement, je l'ai trouvé coincé derrière la table à repasser de l'ancien commissaire de bord. J'ai pensé que la petite pourrait trouver ça amusant.

Il adressa un sourire satisfait à Séréna.

Zoé fronça les sourcils. En réalité, elle avait surpris le lieutenant sur le point de jeter le livre pardessus bord, le premier jour du voyage. Elle avait pratiquement dû le supplier de ne pas le faire et il avait ensuite grommelé qu'il était lieutenant, pas bonniche, et qu'Arthur n'avait qu'à nettoyer lui-même le bureau du commissaire de bord.

– Ah, si nous pouvions revenir aux jours anciens, soupira le capitaine Belvédère, quand l'*Euphonia* était encore l'Empereur des mers.

– Et c'est reparti... marmonna Lèchecœurcraque.

– Nous avions une piscine, un coiffeur et un salon de massage. Il y avait aussi une salle de bal, un théâtre, un ponton exprès pour jouer à la thèque... C'était un véritable palais flottant, soupira-t-il en se tordant la moustache d'un air sinistre. Un palais digne des rois ! D'ailleurs, je me rappelle ce faisan farci aux truffes d'Orcadie, dont nous nous étions régalés avec le roi Adolphus et la reine Rita à cette même table. Nous avions dîné au champagne et dégusté de la glace aux noix de macadamiam ! Ah, quelle soirée ! Si je me souviens bien, la célèbre portraitiste Rachel Dubois était présente, ainsi que le dramaturge et spéléologue mondialement connu Edward T.Trellis et dame Ottaline Ffarde...

À cet instant, un sifflement, suivi d'un grondement, se fit entendre au-dessus de leurs têtes. Les tables autoservantes Bonheur et fils se mirent à trembler. Puis les dômes argentés se soulevèrent et laissèrent apparaître des plateaux chargés de bols fumants, qui montaient du centre de chaque table.

Le capitaine Belvédère se servit le premier. Il renifla tristement le contenu du bol.

– Soupe à la tomate, commenta-t-il. Que penserait la reine Rita ?

3
Croquet de pont

Il est là. Celui avec la tête verte et les pieds qui grincent. L'eau qu'il me donne est croupie, mais j'ai trop soif pour m'en préoccuper.

Oh, comme la petite fille me manque, et les endroits frais et sombres du palais que j'étais la seule à connaître.

Il me donne des pétales blancs et sucrés. Un... deux... trois... c'est délicieux, et pendant un instant j'arrive à oublier que je suis prisonnière de cet arbre creux...

– Ah bon, ma chérie ? répondit distraitement Mme Zéphyr. C'est très intéressant...

Mais Zoé savait que sa mère n'avait pas du tout trouvé intéressant ce qu'elle venait de dire. D'ailleurs, elle se demandait même si sa mère avait écouté un seul mot à propos de la chanson qu'elle avait entendue la veille. Depuis que Zoé s'était assise sur le transat à côté d'elle, Mme Zéphyr n'avait cessé de fouiller dans son immense sac à main tout abîmé.

– Tu crois que c'était quoi ? insista Zoé malgré tout.

– C'était quoi ? répéta sa mère sans lever la tête.

– Le bruit que j'ai entendu, s'obstina Zoé, la chanson...

– Oh, ma chérie, pas maintenant, s'il te plaît, lança Mme Zéphyr en glissant une mèche échappée de son chignon derrière son oreille avant de se remettre à farfouiller avec énergie dans son sac. Mais où peut-il être ? marmonna-t-elle, agacée.

– Qu'est-ce que tu cherches ? lui demanda Zoé.

– Le dépliant de l'école.

Zoé soupira.

Le dépliant de l'école. Il s'agissait d'une brochure bleue qui expliquait aux parents à quel point l'École supérieure du port était bien équipée et bien tenue. C'était la raison pour laquelle Mme Zéphyr tenait tant à y envoyer ses enfants.

Zoé n'était jamais allée à l'école. À Dandon, un précepteur se déplaçait pour donner des cours à tous les enfants Zéphyr, mais maintenant, après la grande déception de M. Zéphyr, tout allait changer.

– Je suis pourtant certaine de l'avoir mis dans mon sac ce matin, maugréa la mère de Zoé. Je me revois encore l'ouvrir et... Oh, et puis zut !

Mme Zéphyr en avait assez. Elle redressa le transat mécanique et renversa sur le pont le contenu de son sac : ses lunettes de soleil allongées et dorées aux branches en écailles de tortue, son poudrier en argent, plusieurs tubes de rouge à lèvres, un trousseau de clés, une pochette d'allumettes, des mouchoirs en papier usagés… ainsi que tout un assortiment de boutons, pièces de monnaie, tickets, épingles à nourrice, et boulettes de tissu de fond de sac se déversèrent sur le pont.

Au moins une centaine d'objets en tous genres, mais pas de brochure de l'école.

– Tu es sûre de l'avoir prise ? demanda Zoé.

– Oui, assura sa mère, je l'ai prise, j'ai ouvert mon sac et…

À ce moment, le calme de la fin d'après-midi fut brisé par des éclats de voix et une cavalcade.

– Prends-le par le côté, Cédric !

Mme Zéphyr et Zoé levèrent la tête juste à temps pour voir une balle rayée rouge et bleue passer sous leur nez à toute vitesse. Cédric, Hubert, Ernest et Toby couraient derrière, leurs maillets à la main en hurlant de rire.

Cédric atteignit la balle le premier et la cogna fermement. Dans un grand *chlac*, elle rebondit contre la balustrade en métal et reprit de la hauteur.

– Allez, attrape-la, rugit-il, renvoie-la !

– Regardez, elle vole ! crièrent Hubert et Ernest, au moment où la balle était au plus haut et commençait à redescendre vers le pont.

Toby bouscula ses frères aînés, les bras en avant.

– Je l'ai ! vociféra le plus jeune des garçons au moment où sa main se refermait sur la balle.

Il se tourna vers ses frères :

– À moi le deuxième cerceau ! lança-t-il.

– Accordé ! clama Cédric.

– Bien joué ! renchérit Hubert.

– Excellent rattrapage ! applaudit Ernest. Aussi net qu'une chemise de Gibbons !

Les trois aînés se groupèrent autour de leur petit frère et lui tapèrent dans le dos avec enthousiasme.

– Félicitations, Toby ! s'écria Zoé en les rejoignant et en tapant dans le dos de son frère plus fort que les autres.

– Tiens, salut petite sœur, lui sourit Toby. Je ne t'avais pas vue. Tu veux jouer avec nous ? Tu pourrais garder le flanc gauche !

– Non merci, refusa Zoé qui n'arrivait jamais vraiment à suivre ses frères dans leurs jeux. Je voulais seulement...

Mais ses mots furent couverts par des cris, Hubert ayant repris la balle des mains de Toby et l'ayant lancée en l'air.

– Le match recommence ! aboya-t-il en frappant la balle de toutes ses forces avec son maillet.

– Quelle volée ! admira Ernest en se lançant à la poursuite de la balle.

Cédric et Toby se jetèrent après lui.

La tumultueuse partie les entraîna à l'autre bout du pont, et ils disparurent à l'angle des cabines. Leurs voix excitées se transformèrent en rumeur. Mme Zéphyr se tourna vers Zoé, les yeux brillants de joie et de fierté.

– Mes petits garçons, soupira-t-elle.

Zoé sourit également. À quinze, quatorze, treize et douze ans, Cédric, Hubert, Ernest et Toby n'étaient plus vraiment des « petits garçons ». En tout cas, ils paraissaient très grands à Zoé. Mais ils seraient toujours les « petits » de Mme Zéphyr.

À cet instant, le lieutenant Jon-Jolyon Lèchecœurcraque apparut.

– Mon Dieu, mon Dieu ! s'exclama-t-il, en s'approchant de Zoé et de sa mère.

Il avait les mains sur les hanches et observait le contenu du sac de Mme Zéphyr répandu sur le sol.

– Hum, reprit-il, je sais que les sports de pont peuvent être... endiablés mais vos garçons...

– Oh non, pas du tout ! se récria Mme Zéphyr en se levant et en agitant les mains. Ce n'est pas eux. C'est moi qui ai renversé mon sac. Je cherchais...

Elle s'arrêta et prit une grande inspiration.

– La brochure de l'école, oui, c'est ça, je cherchais la brochure de l'école. Ça m'était presque sorti de la tête...

– Mais Maman... dit Zoé en secouant la tête.

– Oui, avec toute cette excitation, continua Mme Zéphyr, j'avais oublié. Maintenant, je me rappelle l'avoir apportée, l'avoir posée sur le transat, avoir ouvert mon sac et...

– Maman, elle est là, reprit Zoé. Tu étais assise dessus depuis le début !

– Ne dis pas n'importe quoi, ma chérie ! Bien sûr que non, je n'étais pas assise dessus ! J'étais… ah, tiens… oui, j'étais assise dessus !

Zoé hocha la tête.

– Oui, la voilà ! École supérieure du port ! Elle est un peu chiffonnée, mais…

– Oh merci, ma chérie, dit Mme Zéphyr, soulagée. Tu es un amour, ma Zoé, je me demande ce que je ferais sans toi !

Elle baissa les yeux.

– Si tu pouvais m'aider à ramasser tout ce désordre, ce serait fantastique, ajouta-t-elle.

Zoé s'apprêtait à obéir à sa mère mais Jon-Jolyon fut plus rapide.

– Je vous en prie, madame Zéphyr, dit-il. C'est le moins que je puisse faire pour me faire pardonner d'avoir suggéré que vos fils étaient responsables de ce désordre. Ce sont de si gentils garçons. Mais avec une mère si charmante, comment pourrait-il en être autrement ?

Il commença à remettre les affaires de Mme Zéphyr dans son sac.

– D'ailleurs, *tous* vos enfants sont parfaits, ajouta-t-il.

– Merci, dit Mme Zéphyr. C'est très gentil à vous de le remarquer.

– L'École supérieure du port est un excellent établissement, c'est du moins ce que l'on m'a rapporté, reprit Jon-Jolyon de sa voix mielleuse en jetant un coup d'œil au prospectus. Mais pour des enfants aussi extraordinaires et talentueux que les vôtres, des précepteurs ne seraient-ils pas plus indiqués ?

– Je crains, lieutenant… commença Mme Zéphyr.

– Je vous en prie, appelez-moi Jon-Jolyon, l'interrompit Jon-Jolyon en souriant.

– Je crains, Jon-Jolyon, reprit Mme Zéphyr, que depuis la grande… déception de mon mari, nous ne puissions plus nous permettre la dépense d'un précepteur.

– Oh, je comprends, madame Zéphyr, approuva Jon-Jolyon, soudain extrêmement sérieux. Quant à moi, je n'ai pas l'intention de rester un humble lieutenant très longtemps encore. J'ai de grands projets. Voyez-vous, madame Zéphyr…

Zoé en avait assez entendu.

– Je vais faire un tour, annonça-t-elle en s'éloignant.

En arrivant au pied de l'escalier de métal qui menait au pont supérieur, elle entendit Jon-Jolyon claironner :

– Un jour, je serai capitaine, et pas capitaine d'un vieux rafiot rouillé comme l'*Euphonia*, non ! Je serai capitaine d'un véritable paquebot de croisière !

Pour le plus grand bonheur de Zoé, le pont supérieur était désert. Pas de grands frères bruyants. Pas de Chapeaubas murmurants. Pas d'étrange monsieur de la cabine 21. Pas non plus un seul de ces bonshommes sinistres avec leurs costumes élégants et leurs chapeaux melon vert bouteille.

Quand elle pensait à eux, Zoé ne pouvait s'empêcher de frissonner. Ils étaient toujours très polis, ils soulevaient leur chapeau quand ils croisaient quelqu'un, mais ils s'étaient montrés sous un jour très différent lors de l'embarquement. Zoé était accidentellement entrée en collision avec le grand, celui qui portait un costume jaune à carreaux. Il avait trébuché sur un pied de parasol automatique et s'était étalé sur le sol, entraînant avec lui ses quatre compagnons. On aurait dit un jeu de quilles. Zoé n'avait pas pu s'empêcher de rire. Elle les avait trouvé si drôles. Le grand bonhomme s'était redressé, le visage révulsé par la rage.

– Personne ne rit de la Confrérie des clowns ! avait-il sifflé.

Zoé avait été tellement choquée que son rire lui était immédiatement resté en travers de la gorge. Ce n'est qu'après leur départ qu'elle avait remarqué par terre la petite carte de visite aux bords dorés. Elle l'avait ramassée :

M. Times-Roman M.A.A.C.M., avait-elle lu. *Maître des antiques arts de la comédie et du mime.*

Zoé avait glissé la carte dans son *Guide Hoffendinck*. Depuis, trois semaines avaient passé.

La petite fille s'appuya au rebord tribord du navire et posa son menton sur ses bras croisés. Elle regarda la ligne d'écume mousseuse qui formait une traînée à l'arrière du bateau. À sa droite, le soleil plongeait derrière l'horizon. À sa gauche, au loin, elle crut apercevoir la terre et des lumières scintillant dans un halo orangé. Elle trouva le spectacle intrigant.

Elle ouvrit son *Guide Hoffendinck*.

et surtout ne ratez pas les tortues dansantes qui s'approchent des côtes lors des tempêtes.

LA CÔTE DE DALCRÉTIE

Une des côtes les plus découpées et les plus montagneuses du monde, la côte dalcrétienne abrite de nombreux ports naturels et des villages magnifiques. Longtemps escale privilégiée des bateaux de plaisance, elle est devenue récemment un lieu de mouillage pour des vaisseaux plus grands qui viennent profiter des délices de la Dalcrétie.

Dans l'épaisse forêt de pins et sur les pics montagneux vivent les incroyables bergers dalcrétiens, qui maintiennent leurs troupeaux en isolement total pendant des années avant de redescendre sur la côte pour le grandiose festival dalcrétien, plus connu sous le nom du « Plus Long Après-Midi ».

Chaque habitant de Dalcrétie prend très à cœur ce festival et le prépare de son mieux durant parfois plusieurs années.

À NE PAS RATER :

Les chèvres du mont Doral : on peut les voir sauter de rocher en rocher en haut des plus hauts ravins. Vous pouvez aussi tenter d'apercevoir les chèvres naines arboricoles et les très timides chèvres des cavernes.

Les bergers dalcrétiens : on les reconnaît à leurs longues capes noires et à leurs impressionnantes moustaches. Ils sont renommés pour leur force hors du commun, leur endurance et leur manque de conversation.

NOTES

École supérieure du port

Bons points	Mauvais points
Possibilité de se faire de nouveaux amis	Je vais être obligée de me faire des nouveaux amis.
Possibilité d'apprendre des choses intéressantes	Les leçons risquent d'être ennuyeuses.
Ça fera plaisir à Papa et Maman si je réussis !	Les profs vont tout le temps nous donner des ordres.
	Je vais être obligée de faire tout ce qu'on me dit.
	La directrice (elle ressemble à un dragon sur le prospectus !)
	L'uniforme de l'école (beurk !)

Moi en uniforme !!!

Zoé laissa tomber son crayon. Il se balança à la ficelle qu'elle avait nouée autour de son cou.

Là-bas, il y avait la magnifique côte dalcrétienne avec ses superbes panoramas – qu'elle ne verrait jamais, pensa-t-elle tristement.

Tout ce qui l'attendait était cette horrible École supérieure du port.

Elle referma son *Guide Hoffendinck* avec un gros soupir.

4
La Confrérie des clowns

Je suis prisonnière de cet arbre depuis si longtemps que je commence à oublier…

Le palais, les jardins, la petite fille qui venait au son des cymbales et le soleil rasant dans les petits coins tranquilles…

Tout…

Zoé n'était pas sûre de ce qui l'avait alertée. Peut-être les pas grinçants en haut de l'escalier de métal ou bien les murmures, ou encore l'éclat vert bouteille qu'elle avait entraperçu. Quoi qu'il en soit, elle pensa immédiatement qu'il valait mieux pour elle ne pas être découverte toute seule sur le pont supérieur, surtout par la Confrérie des clowns.

Elle regarda désespérément autour d'elle. Où pourrait-elle se cacher ?

Sous le transat ? Trop évident. Derrière la cheminée à la peinture blanche tout écaillée ? Ils la repéreraient tout de suite. Et pourquoi pas... ? Oui, bien sûr, le canot de sauvetage !

Zoé grimpa dans le bateau accroché juste au-dessus d'elle. Elle souleva la toile qui le recouvrait et se glissa dessous. Le grincement des chaussures était de plus en plus fort et les murmures de plus en plus distincts.

– C'est pas possib', tu dois te tromper, Bembo, mon pote, y a personne ici, c'est clair ! lança une voix bourrue.

Zoé frissonna.

– Mais je te jure, Franklin-Gothic, rétorqua une petite voix sifflante, y avait quelqu'un ici, appuyé contre le bord du bateau.

– Ça se peut pas, qu'il t'a dit, fit une troisième voix aiguë et impatiente.

– C'est exact, Palatino. Nous sommes seuls. Maintenant approchez. Toi aussi, Garamond. Arrête de rêver et fais un peu attention !

Zoé reconnut la sinistre voix de M. Times-Roman.

– Pardon patron, répondit une grosse voix pâteuse, qui appartenait sans doute à M. Garamond. C'est juste que j'arrête pas de l'entendre chanter. Là, dans ma tête. Et c'est si triste... Ça me fait queq'chose.

Zoé retint sa respiration.

Ainsi, les clowns savaient pour la chanson triste !

– Oh, c'est bon, arrête de pleurnicher ! cracha méchamment Franklin-Gothic. Après tout, on a déjà

fait le plus dur, pas vrai, patron ? On n'a plus qu'à la tenir calme et gentille jusqu'à…

M. FRANKLIN-GOTHIC

Dans le canot au-dessus, le cœur de Zoé battait si fort qu'elle s'étonnait que la Confrérie des clowns ne l'entende pas. Surtout qu'ils étaient juste en dessous.

– Du calme ! siffla Times-Roman, d'un ton menaçant. Pour ton information, Franklin-Gothic, le plus dur n'est certainement pas derrière nous. Quant à toi, Garamond, reprends-toi ! Si triste ! Qu'est-ce qu'il faut pas entendre ! N'oubliez jamais que nous sommes la Confrérie des clowns ! Qui sommes-nous ?

– La Confrérie des clowns, répétèrent en chœur les autres voix.

M. BEMBO

– Et nous ne craignons rien, reprit Times-Roman, sauf…

– … le manque d'applaudissements, et une tarte à la crème bien envoyée ! terminèrent les autres à l'unisson.

– Exactement ! exulta Times-Roman. Alors n'oubliez jamais ça ! Si nous remplissons

M. PALATINO

cette petite mission pour la directrice, nous serons riches, mes frères ! Riches, vous m'entendez !

– Oui, mon frère, nous t'entendons, répondirent les autres.

– Les régisseurs et les acrobates ne nous regarderont plus jamais de haut. Nous ne servirons plus jamais de faire-valoir aux lanceurs de couteaux et aux jongleurs. Si nous réussissons, nous achèterons le cirque ! Nous mènerons la danse et on verra bien qui rigole, cette fois !

M. TIMES-ROMAN

Les confrères éclatèrent d'un rire sinistre.

– Tout ce que nous avons à faire est de garder nos yeux et nos oreilles en alerte. Et si nous repérons quelqu'un en train d'espionner…

– … ou de fouiner, ajouta Garamond.

– … ou de nous épier, renchérit Bembo.

– … ou d'essayer de savoir ce qu'on mijote, appuya Palatino.

– … ou de fureter dans nos affaires, siffla Franklin-Gothic.

– Alors nous savons quel sort lui réserver, pas vrai, mes frères ?

Zoé ne pouvait pas les voir mais elle avait l'impression d'entendre les quatre hommes aux chapeaux melon vert bouteille

M. GARAMOND

approuver d'un hochement de tête. Son sang se glaça dans ses veines.

– Oui, murmura Times-Roman, il lui arrivera un accident. Un terrible accident.

5
Le malheureux incident de la cabine

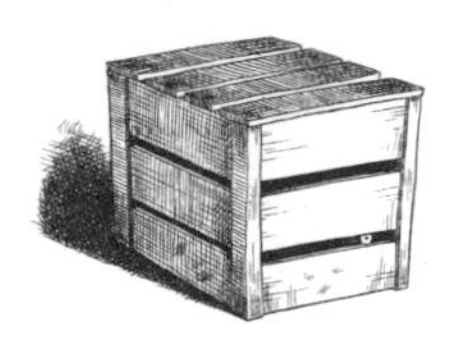

eule. Je suis seule dans cet arbre creux.

Le sol en bois n'arrête pas de bouger et le soleil ne brille jamais...

– J'ai discuté avec ce charmant lieutenant, disait Mme Zéphyr en arrangeant ses mèches de cheveux devant le miroir. Et il s'est chargé de parler à ces étranges messieurs... Comment dis-tu qu'ils s'appellent, ma chérie ?

– La Confrérie des clowns, répondit Zoé, catastrophée. Mais, Maman, je t'avais dit de ne rien dire à personne !

C'était ce qui pouvait arriver de pire. Zoé s'était faufilée hors du canot de sauvetage dès que la Confrérie des clowns avait levé le camp. Le cœur battant, elle avait couru se mettre à l'abri dans la cabine de ses parents. Au début, elle n'avait pas l'intention de raconter quoi que ce soit, mais sa mère avait remarqué son visage pâle et ses mains tremblantes. Du coup, elle avait insisté pour que Zoé lui dise toute l'histoire.

– Maintenant, ils vont savoir que je les espionnais, protesta Zoé.

– Oh, ne t'inquiète pas pour ça, ma chérie, expliqua Mme Zéphyr d'une voix douce. Ces drôles de messieurs ont expliqué à Jon-Jolyon que tu avais tout simplement assisté à la répétition d'un spectacle. Un nouveau sketch qu'ils sont en train de monter. Ils ont bien ri en apprenant que tu avais eu si peur. Alors tu vois, il n'y a pas de souci.

Mme Zéphyr se tourna vers Zoé. Elle remonta ses cheveux en chignon.

– À ton avis, je les attache ou je les laisse libres ? demanda-t-elle en relâchant ses cheveux qui tombèrent sur ses épaules.

– Libres, je crois, soupira Zoé, désespérée. Oui, libres. C'est mieux.

Mme Zéphyr sourit à sa fille.

– Merci beaucoup, ma chérie, dit-elle en remontant ses cheveux pour les attacher. Oh, et pendant que tu y es, tu pourrais peut-être essayer de convaincre ton père de sortir de son lit et de venir dîner avec nous, ce soir. Quand je lui demande, il ne m'écoute même pas. Après tout, nous devons nous appliquer à prendre le bon côté des choses et à rester heureux quoi qu'il arrive.

Avec la Confrérie des clowns à ses trousses, Zoé ne se sentait pas heureuse le moins du monde. Mais il fallait qu'elle s'occupe de son père. Elle eut un petit sourire.

– Je vais essayer, mais je ne promets rien. Depuis sa grande déception, Papa n'écoute plus personne.

– Fais de ton mieux, ma chérie, l'encouragea gaiement Mme Zéphyr.

Winthrop Zéphyr était l'ingénieur le plus talentueux de sa génération. Il était célèbre pour avoir construit les plus grands ponts du monde, des ponts que Zoé avait pu admirer dans le grand album photo qu'il gardait toujours sur son bureau.

GORGES DE TERINAKI

Il y avait le majestueux pont métallique à huit travées qui traversait les gorges de Terinaki. Le pont suspendu MacDonald Bluff, le pont des chutes Hootenanny, le pont Lafayette en porte-à-faux au-dessus de la rivière Hoobly et le célèbre pont à bascule de la baie sud de Gap, conçu pour que même les plus

MACDONALD BLUFF

CHUTES HOOTENANNY

gros bateaux puissent naviguer sur le canal de Shadrak.

Son dernier projet, le plus monumental de tous, avait été l'enjambement Tamberlaine-Marx : une série de ponts qui liaient l'est et l'ouest du delta de Dandon.

PONT LAFAYETTE

Dès le départ, le chantier avait été compliqué par les moustiques qui infestent les marais et par les marées imprévisibles. Beaucoup pensaient que les travaux seraient irréalisables. Mais le père de Zoé était bien décidé à leur prouver qu'ils avaient tort et à gagner ainsi le titre du meilleur constructeur de ponts du monde.

PONT À BASCULE

Et il aurait pu réussir – Zoé en était sûre – si un minuscule, ridicule et pourtant extrêmement important détail n'avait pas tout gâché : ce détail avait pris la forme d'un boulon fileté très spécial appelé « esperluette sans fin ».

Habituellement, Winthrop Zéphyr contrôlait personnellement le moindre matériau de

ENJAMBEMENT TAMBERLAINE-MARX

construction. Mais la semaine où furent posés les esperluettes sans fin, Zoé avait contracté une vilaine angine infectieuse (elle n'avait alors qu'un an) et Winthrop avait pris quelques jours pour être auprès d'elle.

Sept ans plus tard, le somptueux enjambement Tamberlaine-Marx était prêt à être inauguré. La bégum de Dandon, coiffée de son plus beau chapeau, une paire de ciseaux dorés à la main, était sur le point de couper le ruban. Toute la famille Zéphyr était présente et Zoé n'avait pas oublié la fierté qu'elle avait ressentie pour son père.

C'est à ce moment que tout arriva. L'esperluette sans fin avait cessé de remplir son office.

C'était très grave, mais Zoé, qui n'était pas un brillant ingénieur comme son père, n'était pas sûre de bien comprendre pourquoi. Quoi qu'il en soit, c'était forcément très grave : l'enjambement Tamberlaine-Marx fit un bruit qui ressemblait à un moteur qui refuse de démarrer et, tout doucement – un peu comme si un troupeau d'éléphants invisibles s'étaient mis à sauter dessus –, les différents ponts avaient commencé à trembler, puis à se fissurer et à s'affaisser. Une seconde plus tard, de gros craquements résonnèrent et les ponts se cassèrent tout bonnement en deux les uns après les autres. Jusqu'à ce qu'il n'en reste plus que des ruines.

La bégum se montra très compréhensive et déclara que ce n'était la faute de personne, mais Winthrop

M. ZÉPHYR

Zéphyr ne put s'empêcher de prendre sur lui toute la responsabilité du désastre.

Depuis cet après-midi fatal, il n'avait plus jamais regardé un plan, ni touché un crayon, ni même ne s'était approché d'une clé à mollette. En fait, depuis ce jour, le père de Zoé était resté au lit. Il ne s'était levé qu'une fois depuis sa grande déception : pour monter à bord de l'*Euphonia*.

Dès qu'ils seraient arrivés au Port-du-Haut, avait-il déclaré, il prendrait définitivement sa retraite d'ingénieur. Il ne voyagerait plus jamais dans le monde entier avec sa famille, mais s'installerait et travaillerait avec son beau-frère H.H. Luscombe, à dessiner des modèles de parapluie. Et ses enfants iraient à l'école, que ça leur plaise ou non.

Zoé frappa à la porte de son père.

– Papa, appela-t-elle. Tu es réveillé ?

– Va-t'en ! grogna M. Zéphyr.

Zoé décida de ne pas lui demander tout de suite ce que c'était que le tabac à priser.

– On dirait un ours souffrant de migraine, commenta Mme Zéphyr.

Elle se tourna vers sa fille et ajouta aussi gaiement qu'elle le put :

– Tu devrais aller te préparer, ma chérie.

Zoé vit bien que sa mère avait les larmes aux yeux.

Elle alla jusqu'à la cabine qu'elle partageait avec Séréna.

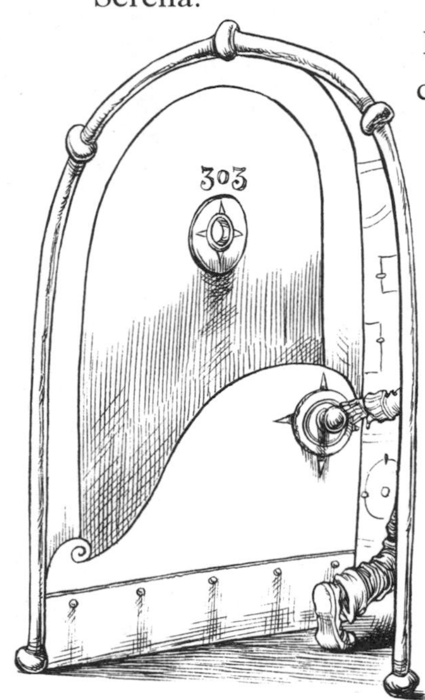

Elle était petite, comparée à celle de ses parents, mais elle était quand même extraordinaire. C'était une des célèbres cabines autonettoyantes de l'*Euphonia* qui, quand le navire était neuf, avaient été considérées comme une merveille encore plus grande que les transats mécaniques du pont tribord.

Dans les cabines autonettoyantes, tout se repliait impeccablement : les lits, les tables, les placards, les étagères, les bibliothèques, les tiroirs à chaussures, les lustres, le ventilateur de plafond et même les cadres sur le mur. Tout, jusqu'à ce que la cabine soit entièrement vide. Le plus drôle, c'était d'appuyer sur les boutons pour tout faire réapparaître. Zoé vivait à bord de l'*Euphonia* depuis trois semaines et elle ne s'en était pas encore lassée.

Elle appuya sur l'interrupteur le plus près d'elle et un lit aux draps bien tirés descendit lentement du mur. Zoé

s'assit dessus avec un soupir de contentement et appuya sur le bouton pour faire apparaître la table de chevet.

Boïng !

Le son métallique résonna fortement dans la cabine. Le lit se referma brusquement et Zoé fut propulsée dans les airs.

– Aaaaaargh ! cria-t-elle en traversant la pièce. Ouch ! lâcha-t-elle en atterrissant contre le mur opposé d'où sortit une salle de bains miniature.

La douche s'alluma et l'aspergea d'eau glacée.

– Aaaïe ! hurla Zoé en trébuchant sur le bidet alors qu'elle essayait de s'enfuir.

Du mur derrière elle, tout un assortiment d'objets hétéroclites jaillirent : une brosse à dents électrique grésillante, un sèche-cheveux soufflant le chaud et le froid, et un miroir grossissant qui refléta l'expression éberluée de Zoé.

– Stop ! Stpfffff, bafouilla-t-elle.

Ses cris furent étouffés par des boules de coton projetées par un tuyau.

Soudain, dans un sifflement, un parfum sucré jaillit du vaporisateur d'eau de Cologne. Zoé faillit tomber en arrière, trébucha sur le fer à repasser automatique qui était sorti de l'alcôve près de la porte d'entrée et atterrit sur le lit.

Il y eut un second *boïng*, suivi d'un *clong* et d'un *fiouou*. Le lit se releva de nouveau et se referma contre le mur, retenant Zoé prisonnière.

E
E
E

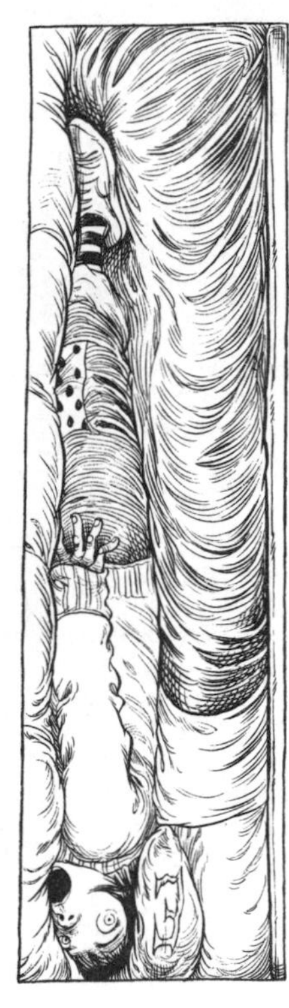

Elle entendit un sifflement – comme celui d'une bouilloire lorsque l'eau est chaude –, qui devenait de plus en plus strident. De toutes ses forces, elle repoussa le lit.

Il ne s'ouvrit pas mais s'écarta légèrement, lui laissant juste assez de place pour pouvoir cogner contre le mur. De l'autre côté se trouvait la cabine de ses parents ; plus exactement, la chambre de son père.

– Papa ! hurla Zoé de toute la force de ses poumons. Papa, au secours ! Au secours !

Le sifflement se fit plus strident encore. Les murs de la cabine tremblaient. Soudain, Zoé entendit la voix de son père.

– Zoé ? Zoé ? C'est toi ?

– Au secours ! cria Zoé. Au secours !

Il y eut des coups, un fracas, puis une énorme secousse. La porte de la cabine de Zoé avait été ouverte par la force. Une seconde plus tard, Zoé entendit son père :

– Reste en arrière !

Il y eut des grincements, des grattements, des couinements puis le bruit d'une vis que l'on dévisse.

Soudain, un nouveau sifflement, suivi d'un *clic*, et le lit s'ouvrit élégamment.

– Zoé !

Un cri de soulagement s'éleva et bientôt tout le monde fut autour d'elle. Sa mère (les cheveux attachés), son père (en pyjama froissé), Cédric, Hubert, Ernest, Toby, et dans le fond, Séréna. Ils se mirent tous à lui poser des questions en même temps.

– Je ne sais pas… Je n'ai pas compris… Je vous assure, répondait-elle. Tout allait bien et, d'un coup, la cabine est devenue folle. La douche, le miroir, les placards, le lit…

M. Zéphyr avait examiné les tuyaux, les niveaux, le circuit électrique dans la petite boîte à droite de la porte. Il secoua la tête, dubitatif.

– On dirait que c'est un problème de pression, dit-il. On a eu de la chance que tout n'explose pas !

Tous se regardèrent, silencieux, emplis d'effroi à l'idée de ce qui aurait pu arriver. C'était trop horrible !

– Le problème, reprit M. Zéphyr en regardant avec surprise la clé à mollette dans sa main, c'est que ce bateau a été affreusement négligé durant des années. Il était évident qu'un accident se produirait un jour ou l'autre.

Tous se regardèrent puis tournèrent les yeux vers M. Zéphyr.

– Quoi qu'il en soit, poursuivit-il en s'éclaircissant la voix, puisque je suis sorti du lit, je ferais bien de me rendre utile et de vérifier quelques petits détails à droite à gauche. Après tout, je suis toujours ingénieur et pas encore créateur de parapluies.

Tout le monde se réunit autour de lui en riant. Seule Zoé remarqua la sinistre silhouette qui passait devant la porte ouverte et jetait un discret coup d'œil à l'intérieur de la cabine avant de remonter le couloir.

C'était, sans doute aucun, M. Times-Roman, le chef de la Confrérie des clowns.

6
Les poissons d'amour

Je suis tellement fatiguée. Je vais fermer les yeux et dormir. Peut-être que quand je m'éveillerai, je serai de retour dans les jardins du palais, que j'entendrai les cymbales et que la petite fille viendra…

Le capitaine Belvédère glissa la tête dans l'entrebâillement de la porte et tordit ses moustaches d'un air morose.

– Sale affaire ! marmonna-t-il. La même chose est déjà arrivée à Boris Beiderbecker, juste après la cérémonie du « On-y-est-presque », lors de notre premier voyage. Il ne s'est plus jamais approché d'un shaker à cocktail après ça.

Derrière lui, le visage inquiet du lieutenant Lèchecœurcraque apparut.

– Quel fouillis ! s'exclama-t-il. Ma chère mademoiselle Zéphyr, vous n'êtes pas blessée, j'espère !

Il passa devant le capitaine et prit la main de Séréna.

– Mais non, je vais bien, gros bêta, sourit-elle. C'est Zoé qui…

– Dieu merci, s'exclama Jon-Jolyon. Et maintenant, éloignez-vous immédiatement de ce désordre. Je vais demander à Arthur de venir s'en occuper.

Il entraîna Séréna hors de la cabine. Dans le couloir, il cria :

– Arthur ! Arthur ! Où êtes-vous encore passé, sacré fainéant ? Arthur !

Juste à cet instant, le gong annonça le dîner.

– Allons-y ! lança gaiement Mme Zéphyr. Ne laissons pas cet incident nous couper l'appétit.

Zoé frissonna. Elle n'était pas convaincue qu'il ne s'agissait que d'un « incident », comme disait sa mère. Elle aurait parié que la Confrérie des clowns était derrière tout ça. Mais qui était prêt à écouter une petite fille ? Zoé devait trouver des preuves.

– Oh, Winthrop, mon chéri, dit la mère de Zoé en avisant le pantalon de pyjama froissé de son mari. Tu devrais te changer et mettre des vêtements plus corrects.

– Pardon, ma chérie ? dit M. Zéphyr en levant la tête de l'embrouillamini de fils et de tuyaux qui sortait du mur. Ah, oui, oui, bien sûr, tout de suite, enfin, dans un instant, je vérifie juste… Ah… oui… Hum…

Mme Zéphyr haussa les épaules, agacée.

– Cédric, Hubert, Ernest, Toby, appela-t-elle. C'est l'heure du dîner.

– Je pourrais avaler un cheval ! déclara Cédric en suivant sa mère.

– Et moi un chameau, renchérit Hubert.

– Moi, un éléphant ! s'exclama Ernest.

– Et moi, une baleine tout entière ! s'écria Toby.

Ils sortirent tous de la cabine.

– Et toi, petite sœur ? demanda Hubert à Zoé en passant la tête par la porte.

– Oh, moi, je n'ai pas très faim, répondit-elle.

La dernière chose dont elle avait envie était de se retrouver au dîner en compagnie de la Confrérie des clowns.

– Je crois que je vais prendre l'air… ajouta-t-elle.

Elle laissa son père qui démontait joyeusement tout ce qu'il pouvait et monta sur le pont.

La nuit était superbe. Aucun souffle de vent ne venait en déranger la douceur. La mer était lisse comme un miroir. Zoé s'installa sur un transat et regarda le ciel étoilé. Puis elle prit son crayon et son *Guide Hoffendinck*.

VILLES DE LA CÔTE DALCRÉTIENNE

FEDRUN

La jolie petite ville de Fedrun est renommée pour ses crêpes et ses concombres sucrés. N'hésitez pas à vous promener dans ses ruelles pavées et tortueuses. Vous vous imprégnerez ainsi de son charme rustique. Le quartier des chapeliers est particulièrement intéressant. Faites-vous fabriquer sur mesure un fedrun, le célèbre chapeau conique porté par les pêcheurs locaux.

UN FEDRUN

LE COCHON DANSANT

Ne ratez pas le fameux cochon dansant de Fedrun qui ne connaît pas moins de deux cents danses et se produit lors du Plus Long Après-Midi, une fête très animée de Fedrun.

NOTES

ÉTOILES

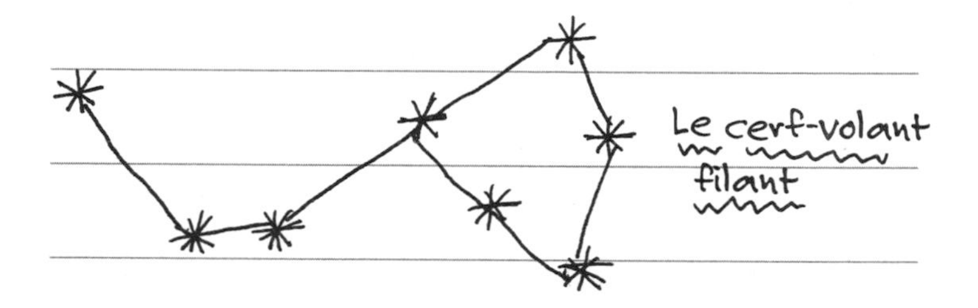

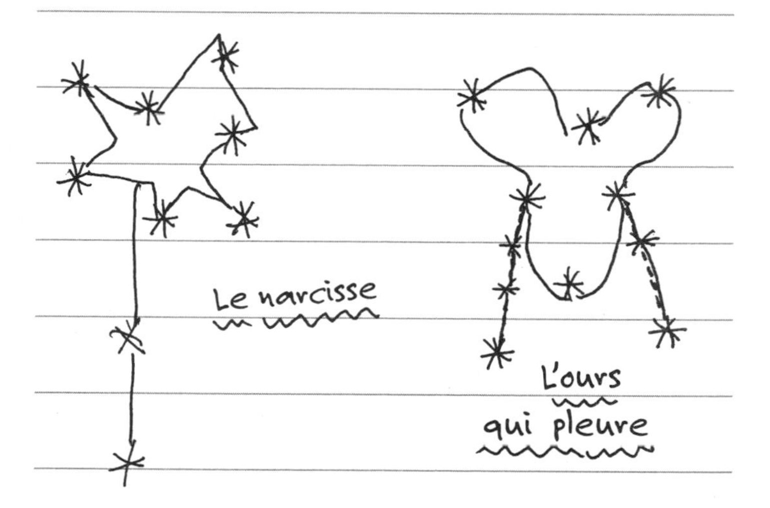

– Regardez ! s'exclama quelqu'un sur sa droite.

Zoé referma son guide et regarda. Là, appuyés contre le bastingage, éclairés par les lanternes vacillantes du bateau, se trouvaient Jon-Jolyon et Séréna. Jon-Jolyon avait passé son bras droit autour des épaules de la sœur de Zoé et montrait le ciel de la main gauche.

« Séréna doit être ravie, pensa Zoé. Elle est dehors, sur le pont d'un bateau, et regarde les étoiles. Ça ressemble vraiment à une scène d'un des romans à l'eau de rose qu'elle aime tellement lire. »

Ils avaient des titres comme *Le Cœur impatient* ou *L'amour a trouvé Laetitia*.

Zoé soupira. « Je préfère lire toute ma vie le *Guide Hoffendinck* plutôt que ce genre de trucs », se dit-elle.

– Une étoile filante, dit Jon-Jolyon. L'avez-vous vue ?

– Non... non, je ne crois pas, répondit Séréna rêveusement.

– Peu importe ! déclara Jon-Jolyon, faisons un vœu. Vite...

Séréna émit un rire cristallin.

– Oh, comme c'est romantique ! Je fais le vœu que...

– Chut ! l'interrompit Jon-Jolyon en posant un doigt sur ses lèvres. Ne le dites pas à voix haute, il ne se réaliserait pas. Et de toute façon, Séréna, au risque de me vanter, je crois savoir quel est votre vœu...

– Quel gros prétentieux, marmonna Zoé.

Jon-Jolyon se pencha, les yeux fermés. Son visage n'était plus qu'à quelques centimètres de celui de Séréna.

À cet instant, il y eut un sifflement et un météore traversa le ciel.

– Regardez ! Une autre étoile filante, s'écria Séréna en tapant dans ses mains. L'avez-vous vue ?

Jon-Jolyon ouvrit les yeux.

– Euh, oui, oui, je l'ai vue, dit-il.

Mais Zoé savait qu'il mentait.

– À votre tour, cette fois, de faire un vœu, décida Séréna.

– Je souhaite… commença Jon-Jolyon en s'approchant à nouveau de Séréna, je souhaite…

– Lèchecœurcraque !

C'était la voix du capitaine Belvédère qui leur parvenait de la salle à manger.

– Lèchecœurcraque ! Venez vite ! Il y a un problème avec les tables automatiques. Il y a du gâteau de riz partout sur le plafond. Lèchecœurcraque !

– C'est encore la faute d'Arthur, grommela Jon-Jolyon. On ne peut vraiment rien attendre d'un troisième mécano. Je reviens aussi vite que possible, assura-t-il à Séréna en s'éloignant à grands pas.

Le regard de Séréna se perdit dans les vagues. À l'horizon, la pleine lune se levait. Rapidement, elle éclaira la mer de sa lumière dorée. Zoé s'apprêtait à rejoindre sa sœur, quand elle entendit un bruit étrange derrière elle.

Elle se retourna, s'attendant presque à voir M. Times-Roman et ses amis de la Confrérie des clowns. Mais à la place, elle découvrit une tête ébouriffée qui sortait d'une des cheminées.

– Pardon de vous avoir fait peur, mademoiselle, dit la tête en souriant.

Elle appartenait à un jeune homme qui sortit de la cheminée. Il portait un bleu de travail taché.

– J'm'appelle Arthur, dit-il en tendant sa main sale.

– C'est donc vous, Arthur ! s'écria Zoé. Le troisième mécano !

– Exactement, mademoiselle. Ravi de vous rencontrer ! D'ailleurs, je ne suis pas vraiment le

troisième mécano, mais le seul mécano à bord de ce vieux rafiot. Je suis aussi le cuistot, le médecin de bord et l'homme à tout faire. On a du mal à trouver un bon équipage de nos jours !

Il adressa à Zoé un sourire éclatant et elle ne put s'empêcher de sourire à son tour.

– Je vérifiais les conduits internes, expliqua Arthur, parce que, je ne sais pas si vous avez remarqué, mademoiselle, mais nous avons des soucis avec les cuisines.

– Appelez-moi Zoé, dit la petite fille en serrant la main d'Arthur. Et vous n'êtes pas le seul mécano sur ce bateau. Mon père aussi est mécano ! Il est même ingénieur mécanicien !

– C'est vrai ? se réjouit Arthur. Eh bien, dites-lui de ma part, mademoiselle Zoé, que s'il se sent un peu rouillé et qu'il lui prend l'envie de jeter un œil à ce bateau, il y a ici un mécanicien épuisé et débordé qui aurait bien besoin d'aide.

Arthur tourna les talons et se dirigea vers l'escalier qui menait au ponton inférieur.

– Je le lui dirai, Arthur, lança Zoé. Dès qu'il aura fini de réparer ma cabine.

Mais Arthur ne l'entendit pas. Il s'était immobilisé au milieu de l'escalier et regardait Séréna. Elle se tenait à quelques pas de lui, exactement là où Jon-Jolyon l'avait laissée. La lumière argentée de la lune faisait scintiller les vagues et, au moment où les regards des deux jeunes gens se croisèrent, un bruit comme un léger cliquetis se fit entendre.

Arthur et Séréna tournèrent la tête juste à temps pour apercevoir un banc de poissons volants de la pleine lune qui bondissait au-dessus des flots, formant un arc scintillant avant de disparaître. Les deux jeunes gens restèrent silencieux un moment puis Arthur tendit sa main.

– Arthur, articula-t-il d'une voix rauque.

– S... S... Séréna, murmura la sœur de Zoé en lui serrant la main.

– Ce que c'était beau ! dit Zoé en s'approchant d'eux. Vous les avez vus ?

– Quoi ? demandèrent Séréna et Arthur d'une même voix sans se quitter des yeux.

– Là, dit Zoé. Les poissons d'amour !

7
Le mystérieux clong

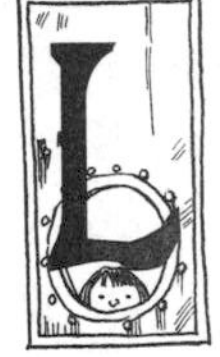

Le bruit. Il résonne dans la forêt. Il m'a réveillée jusque dans mon arbre creux. J'étais au beau milieu d'un doux rêve qui m'avait ramenée dans les jardins du palais. À présent, je n'arrive plus à me rendormir.

Le bruit est de plus en plus fort… et j'ai peur.

Clong !

Zoé se réveilla et bâilla. Elle s'était installée dans un hamac. Son père avait eu beau lui assurer que son lit était parfaitement réparé, elle n'avait pas tout à fait confiance. Et puis le hamac que Cédric avait déniché dans le placard du pont-sport était plutôt confortable.

Clong !

Encore ce bruit. Zoé était sur le point de sauter de son hamac pour aller enquêter quand elle entendit frapper à sa porte. Mme Zéphyr passa la tête dans l'entrebâillement.

– Tu as raté le petit déjeuner ! dit-elle. Alors je t'ai apporté un petit en-cas de onze heures.

Elle montra à Zoé l'assiette d'ananas et de pastèque et le verre de lait de coco qu'elle avait en main.

– Merci, dit Zoé.

– Je les pose ici, continua sa mère. Près du… Qu'est-ce que c'est que ça, d'ailleurs ?

– Un bain de pieds mécanique, marmonna Zoé en s'asseyant dans son lit.

Clong !

– Est-ce que tu sais ce que c'est que ce bruit ? demanda-t-elle à sa mère en buvant une gorgée de lait de coco.

– Ça ? lança gaiement Mme Zéphyr. C'est ce que ton père appelle le « mystérieux clong ». Ça a commencé dans les cuisines hier soir. Oh, Zoé ! Tu as raté un dîner extraordinaire !

Mme Zéphyr partit d'un grand éclat de rire et frappa dans ses mains.

– Une des tables automatiques est devenue folle, juste quand nous allions prendre le dessert. Ces drôles de bonshommes en costume étaient entièrement couverts de gâteau de riz. Ils étaient furieux. Je n'aurais pas dû rire, mais je n'ai pas pu m'en empêcher. Pas plus que les garçons, d'ailleurs. Et le capitaine Belvédère s'est excusé un millier de fois. Le gentil lieutenant a déclaré que tout était la faute d'Arthur et que c'est tout ce à quoi on pouvait s'attendre de la part d'un troisième mécano.

– Arthur, dit Séréna en apparaissant à la porte. Oh, je suis sûre que ce n'est pas sa faute.

Elle se dirigea vers le hublot et regarda rêveusement dehors.

– Ce doit être si difficile de maintenir à flot un aussi vieux bateau.

Clong !

– C'est exactement ce que ton père a dit, Séréna. D'ailleurs, il est parti dans la salle des machines avec Arthur. Ils essaient de découvrir d'où vient ce mystérieux clong.

Mme Zéphyr sourit.

– Je dois reconnaître que votre père renaît. Je ne l'avais jamais vu aussi gai.

– C'est sûrement grâce à Arthur, susurra Séréna en traçant un A majuscule sur la vitre du hublot.

– Ah oui ? dit Mme Zéphyr en posant sur sa fille un regard interrogateur. Bon. Eh bien, je serai sur le pont bâbord si vous me cherchez. Vos frères disputent une partie de rugby marin sur le pont inférieur et je préfère ne pas rester trop près d'eux. Oh, et ton lieutenant a accepté de jouer avec eux. Je me demande vraiment pourquoi.

Séréna se tourna vers sa mère. Ses yeux lançaient des éclairs.

– Ce n'est pas *mon* lieutenant, Maman !

Clong !

Mme Zéphyr sortit et Séréna regarda de nouveau par le hublot. À l'horizon, une côte rocheuse se découpait. Zoé sauta de son hamac et rejoignit sa sœur.

– Ce lieu semble si romantique, soupira Séréna. Je me demande quel est son nom.

– C'est la côte de Dalcrétie, répondit Zoé. D'après le *Guide Hoffendinck*, il y a des tas d'endroits très intéressants à visiter !

– Oui, mais on ne s'arrête nulle part, dit Séréna, parce que ce vieux bateau tout rouillé ne fait plus d'escale.

Clong !

– Et ce pauvre chéri d'Arthur qui doit passer tout son temps dans cette affreuse salle des machines ! Je hais l'*Euphonia* ! ajouta-t-elle en serrant les dents.

Clong !

Séréna quitta soudain la cabine à grands pas. Zoé prit son crayon et son guide…

LES VILLES DE LA CÔTE DALCRÉTIENNE

MÉSAPOLI

Mésapoli niche sur les bords de la rivière Mésa. Les vingt ponts qui traversent cette rivière valent tous le déplacement. Les habitants de Mésapoli sont reconnaissables à leur extrêmement petite taille. Peu d'entre eux dépassent un mètre vingt. Ce sont des gens rudes et ils sont craints des autres Dalcrétiens à cause de leur tempérament emporté. Heureusement, ils sont également très accueillants avec les étrangers, tant que ces derniers ne mentionnent pas leur taille.

HABITANTS DE MÉSAPOLI

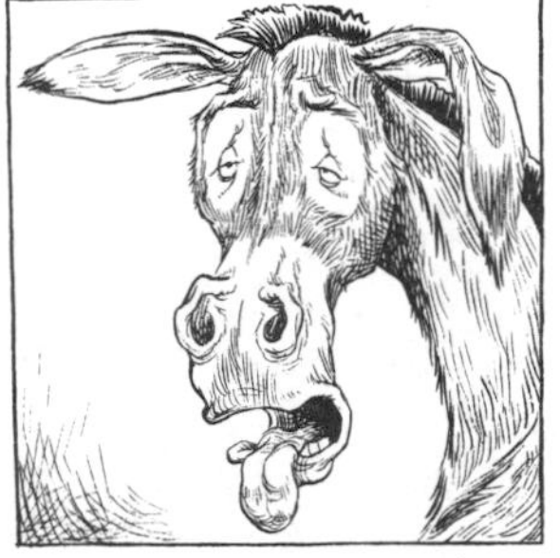

L'ÂNE ENRHUMÉ

Mésapoli est également connue pour son âne enrhumé. L'animal est réputé pour être capable de tousser « Les Lamentations de saint Georges », l'hymne national dalcrétien.

NOTES

Arthur

Points positifs	Points négatifs
Plutôt beau	Un peu sale
Cheveux pas trop gras (du moins, je ne crois pas)	Je viens juste de le rencontrer, je ne peux pas savoir s'il est toujours de bonne humeur.
Sourit beaucoup	
Travaille très dur	Travaille trop dur
Est très gai	N'est que troisième mécano.
Est mécano ! ✓	

Une ville avec vingt ponts, pensa Zoé. Comme son père aurait aimé s'y arrêter !

Clong !

Cette fois, le bateau entier trembla. Il pencha d'un côté, puis de l'autre. Zoé referma le *Guide Hoffendinck*, s'habilla à toute vitesse et sortit en courant pour découvrir ce qui se passait.

8
Transat mécanique

N*oir, noir, il fait si noir. Je ne me rappelle rien…*

– Attention devant ! cria Hubert en lançant le ballon de rugby marin.

– Hounka-houncha ! répondirent Ernest, Cédric et Toby en chœur en renvoyant la balle à leur frère.

Mais Jon-Jolyon fit un croche-pied à Hubert et intercepta triomphalement la balle avant de partir en courant vers le filet de rugby marin.

– Bien essayé, les garçons, lâcha-t-il, mais c'est raté.

Il jeta la balle dans le filet.

– J'ai gagné, je crois !

Les frères Zéphyr se regardèrent. Hubert se gratta le menton et s'approcha de Jon-Jolyon pour lui serrer la main.

– Je pensais vraiment que c'est moi qui allais marquer, dit-il sur un ton désolé.

Mais l'expression de son visage montrait clairement qu'il estimait que Jon-Jolyon avait triché.

– C'était net comme un éternuement de Lemuel un jour de lessive, ajouta-t-il.

– Tu peux pas tous les marquer, dit Jon-Jolyon d'une voix mielleuse.

Il remarqua soudain Zoé qui venait les rejoindre.

– Ah ! Mademoiselle Zéphyr, l'interpella-t-il en souriant. Où puis-je trouver votre magnifique sœur ? Je suis sûr qu'elle sera impressionnée d'apprendre que j'ai non seulement survécu à un match contre vos frères mais que je leur ai en plus mis la pâtée !

Zoé esquissa un demi-sourire.

– Elle est sur le pont bâbord avec ma mère, je pense.

Elle fronça les sourcils :

– Je me demandais d'où venait ce clong...

– Sur le pont bâbord, vous dites ? l'interrompit Jon-Jolyon. J'y vais. Quant à ce clong, c'est le problème d'Arthur, pas le mien. Je n'ai pas l'intention de me salir les mains.

Les joues de Zoé rosirent. Au départ, elle n'arrivait pas vraiment à se faire une opinion sur le lieutenant Lèchecœurcraque, mais à présent elle le détestait.

6

– Eh bien, dit-elle en suivant le lieutenant dans l'escalier, je n'ai pas l'impression que les mains sales d'Arthur aient déplu à ma sœur Séréna quand ils se sont rencontrés hier soir…

Lèchecœurcraque s'immobilisa et se retourna. Il plissa les yeux.

– Rencontrés hier soir ? répéta-t-il.

– Oui, répondit Zoé.

Elle doubla le lieutenant et continua son chemin vers le pont bâbord.

– Ils se sont rencontrés juste après votre départ, ajouta-t-elle par-dessus son épaule. On aurait dit deux poissons d'amour.

Arrivée sur le pont, elle s'installa sur un des transats mécaniques près de sa mère qui dormait sous un grand chapeau de paille. Dans une main, Mme Zéphyr tenait son grand sac et dans l'autre le prospectus de l'École supérieure du port.

« Ça lui apprendra au lieutenant Lèchecœurcraque, se dit Zoé. Ça lui rabattra son caquet ! »

Elle abaissa le levier à droite du transat mécanique. Les mots « *Chaise de pont à propulsion automatique Bonheur et fils* » étaient gravés dessus. Il y eut un petit grincement et le transat se dressa sur des pattes mécaniques. Il traversa le pont bâbord d'une démarche un peu raide. Zoé releva le levier et, dans un nouveau grincement, le transat s'arrêta.

Un peu plus loin, les Chapeaubas, coiffés de leurs chapeaux coniques et vêtus de leurs longs manteaux, étaient eux aussi assis dans des transats. Ils étaient en pleine discussion. De temps en temps, M. Chapeaubas griffonnait sur des petits morceaux de papier et les passait à sa femme qui les examinait en prenant des airs mystérieux. Elle les retournait, griffonnait au dos et les repassait à son mari. Les papiers allaient et venaient et le couple marmonnait, sans cesser de surveiller le pont supérieur du coin de l'œil.

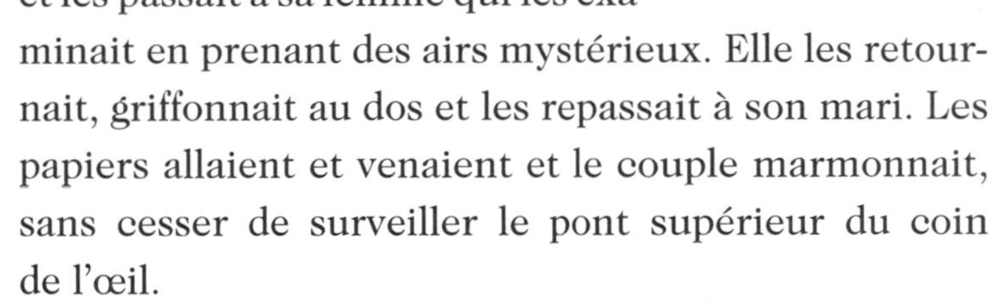

« Qu'est-ce qu'ils fabriquent ? » se demanda Zoé.

– Pchpchpch, dit Mme Chapeaubas.

– Mmmmmumumu, répondit son mari.

Quand ils virent Zoé, ils cachèrent hâtivement leurs petits papiers et levèrent les mains pour la saluer.

– Pchpchpchpch, dit Mme Chapeaubas.

– Mmmmmumumu, dit M. Chapeaubas.

– Non merci, refusa Zoé au hasard. Je viens juste de manger…

– Pchpch ? lâcha Mme Chapeaubas, perplexe.

– Mmmuumm, ajouta M. Chapeaubas en haussant les épaules.

Zoé abaissa de nouveau le levier de son transat qui repartit aussitôt, laissant sur place les Chapeaubas. Zoé tourna au coin pour rejoindre le pont supérieur quand...

Elle tira sur le levier et le transat stoppa.

M. Times-Roman leva les yeux, un sourire cruel aux lèvres. Il était lui aussi assis dans une chaise de pont à propulsion automatique et bloquait le passage à Zoé.

– Tiens, tiens, tiens, dit-il d'une voix sinistre. Ce ne serait pas notre petite espionne ?

– Notre petite fouineuse, siffla M. Franklin-Gothic en apparaissant à son tour, à droite de Zoé.

Il était lui aussi assis dans un transat mécanique.

– Notre curieuse, ajouta M. Garamond, coinçant Zoé de l'autre côté.

– Notre fureteuse, dit M. Bembo.

– Notre farfouilleuse, grinça M. Palatino.

Ces deux derniers coupaient toute possibilité de retraite à Zoé.

La gorge de Zoé se serra. Elle était cernée. Cinq paires d'yeux froids et cruels la fixaient, cinq sourires sadiques lui donnaient des frissons. Lentement, la main de Zoé se posa sur le levier de son transat. Elle adressa à M. Times-Roman son plus chaleureux sourire.

– Oh, génial ! s'exclama-t-elle en ricanant. Vous êtes en train de répéter un nouveau spectacle !

Elle releva le levier qui émit un couinement rouillé. Son transat fit un bond en avant. M. Times-Roman et M. Garamond furent obligés de s'écarter, Zoé fit galoper son transat sur le pont. Derrière elle, cinq transats mécaniques crissèrent et se lancèrent à sa poursuite.

– Suivez ce transat ! cria M. Times-Roman. Rattrapez-la à la proue.

Zoé, horrifiée, vit M. Bembo et M. Palatino la doubler et exécuter un dérapage contrôlé pour lui barrer le passage. Elle poussa le levier à droite, son transat fit demi-tour et elle se retrouva face à M. Times-Roman ; Garamond était à sa droite, Franklin-Gothic à sa gauche.

– Piégée comme un rat acrobate sur un trapèze saboté ! ricana M. Times-Roman triomphalement.

Zoé ferma les yeux très fort et tira le levier autant qu'elle le put. Dans un grand craquement, elle fonça sur Times-Roman.

– Oumpf ! s'étrangla Times-Roman alors que son transat se renversait.

Zoé bondit sur ses pieds et se mit à courir. Derrière elle, il y eut un fracas de bois qui se brise et de cris de colère. Les uns après les autres, les clowns étaient rentrés les uns dans les autres et c'était un véritable naufrage. Zoé ne prit pas la peine de tourner la tête.

« Bien fait pour vous », songea-t-elle sans cesser de courir vers le pont tribord. Elle ne s'arrêta pas avant d'être près de sa mère. Elle haletait.

– Tu fais un peu d'exercice, ma chérie ? lui demanda gaiement sa mère sans même lever les yeux du prospectus qu'elle lisait. C'est bien.

Zoé se laissa tomber dans le transat le plus proche et essaya de reprendre son souffle. Un instant plus tard, elle entendit des grognements et des cris, accompagnés de craquements de bois. La Confrérie des clowns apparut à l'autre bout du pont.

Ils portaient le transat mécanique de Times-Roman. Le chef des clowns était coincé dedans. Ils lancèrent un regard noir à Zoé mais saluèrent sa mère en soulevant leurs chapeaux.

– Oh, mon Dieu, s'écria Mme Zéphyr en regardant par-dessus son prospectus.

Elle essaya de réprimer un rire.

– Messieurs, quel manque de chance ! dit-elle. D'abord les tables de la salle à manger et... Oh, pardonnez-moi...

Elle éclata d'un rire incontrôlable.

– Je suis désolée, vraiment, mais... vous êtes si drôles !

– Personne... umpf, umpf, ne rit de la... umpf, umpf... Confrérie des clowns, grogna M. Times-Roman, rouge comme une tomate alors que ses collègues descendaient l'escalier qui menait au pont inférieur.

– Du calme, patron, dit Franklin-Gothic. Essayez de ne pas parler. On va essayer de trouver le troisième mécano et il va vous sortir de là.

Les clowns disparurent et Mme Zéphyr se replongea dans son prospectus.

La directrice Luci
Encredechine, ph
son extraordinai
collection de sa
exotiques et de
chaussures art
accueille les
l'École supé

– Oh, incroyable ! J'adore ça ! s'exclama-t-elle un moment plus tard. « La directrice Lucida Encredechine, photographiée avec son extraordinaire collection de sacs exotiques et de chaussures artisanales, lut-elle, accueille les élèves à l'École supérieure du port. »

Elle montra le prospectus à sa fille qui poussa un long soupir. Elle n'aimait déjà pas beaucoup l'idée d'aller à l'école, mais cette directrice, avec ses yeux vides, ses lèvres pincées et ses chaussures fabriquées en peau d'animal, la dégoûtait.

Elle frissonna en ouvrant le *Guide Hoffendinck* et prit son crayon.

LES VILLES DE LA CÔTE DALCRÉTIENNE

LISSARI

Bâtie sur une falaise de granit, Lissari est une des villes les plus charmantes de la côte. Avec ses magnifiques « tavernes accrochées » et ses « cuisines suspendues », manger et boire à Lissari est une expérience unique pour toute personne ne souffrant pas de vertige.

Les boutiques troglodytes du quartier est vendent de magnifiques tissus faits main, portés en turban par les femmes de Lissari. Certains de ces turbans mesurent plus d'un mètre cinquante.

UN TURBAN

La danse est le passe-temps le plus apprécié des habitants de Lissari, mais les visiteurs se montreront prudents s'ils se lancent dans les traditionnelles danses dites du bord de la falaise.

Lissari est également connue pour son remarquable bœuf compteur, qui vit dans une grande caverne au pied de la falaise.

LE BŒUF COMPTEUR

NOTES

La Confrérie des clowns
sans doute le chef.
M. TIMES-ROMAN
A l'air sournois et un horrible sourire !
M. GARAMOND
a l'air nerveux.
ut le temps
n train de
anger des
hamallow.
CHA-
MALLOW
M. BEMBO
ne parle pas beaucoup.
Grande fleur à la boutonnière.
M. PALATINO
maigre et a l'air d'avoir très mauvais caractère.
une
nne.
M. FRANKLIN-GOTHIC
a l'air méchant et me fait peur.

–Puis-je m'asseoir ? demanda une voix doucereuse.

Zoé referma son guide et leva la tête. Séréna, installée à trois transats de là, lisait un exemplaire corné du *Beau Cavalier*. Jon-Jolyon se tenait debout devant elle.

– Si vous voulez, répondit Séréna sans cesser de lire.

– Merci, sourit mielleusement le lieutenant en prenant place. Je crois que nous devons avoir une petite discussion…

9
La piste des Chamallow

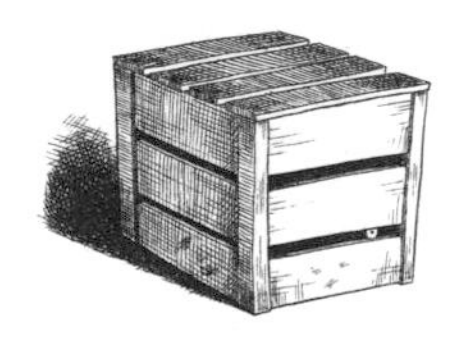

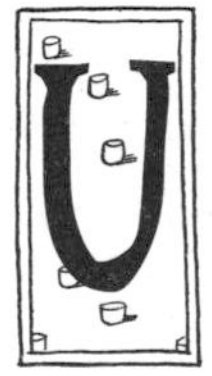

n pétale blanc, sucré et délicieux. Je le mange et j'attends le prochain. Mais il n'y en a pas d'autre. L'homme à la tête verte et aux pieds qui grincent est reparti.

Je suis de nouveau seule.

Peut-être que si je chante, je ferai disparaître cette tristesse et que mon cœur ne se brisera pas… pas tout de suite.

Zoé se leva et se dirigea le plus naturellement possible vers le bastingage. Elle fit semblant d'être très intéressée par la contemplation des côtes de Dalcrétie. En réalité, elle ne voulait pas perdre une miette de la conversation entre Jon-Jolyon et sa sœur. Mais elle ne voulait pas avoir l'air de les espionner.

Un peu plus loin, elle remarqua l'homme de la cabine 21. Il était, comme d'habitude, assis sur un transat et, comme d'habitude, il fixait l'océan. Comme

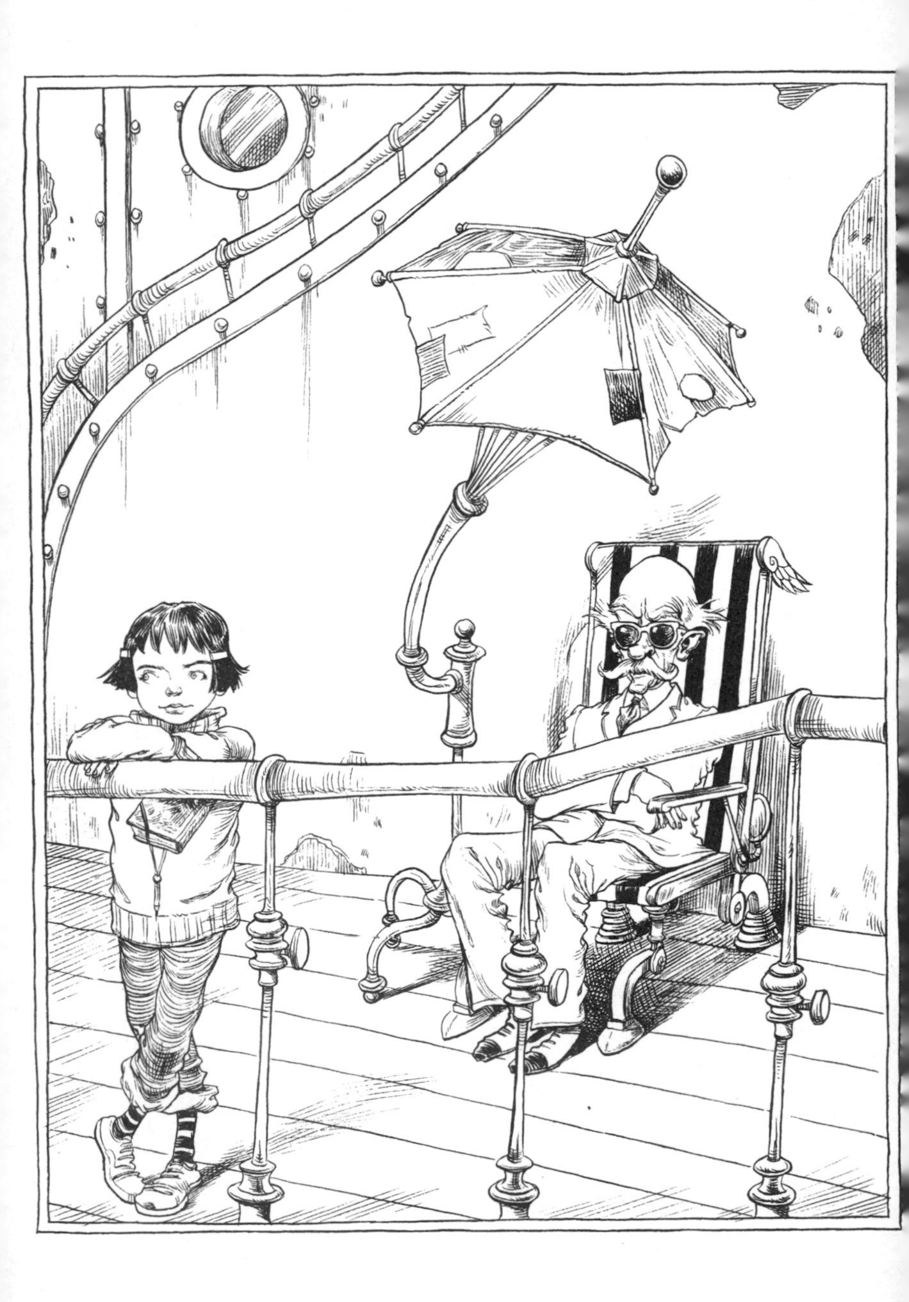

d'habitude, il était vêtu d'un costume blanc, de chaussures bleu marine et portait des lunettes de soleil. Lui aussi faisait comme s'il n'écoutait pas Jon-Jolyon et Séréna.

– J'ai entendu dire que vous aviez rencontré Arthur, hier soir, commença Jon-Jolyon.

– Le troisième mécanicien ? dit Séréna en rosissant. Oui, c'est vrai. Il est... très gentil.

– Oh oui, rit Jon-Jolyon d'un rire un peu jaune. Il a l'air très gentil.

– Que voulez-vous dire ? interrogea Séréna en se redressant.

Ses yeux lançaient des éclairs.

– Chère jeune fille...

Jon-Jolyon était plus mielleux que jamais.

– C'est que je ne voudrais pas vous voir vous ridiculiser...

– Et comment pourrais-je me ridiculiser ?

– Eh bien, un petit oiseau m'a raconté que vous et Arthur ressembliez à deux poissons d'amour hier soir...

Zoé remarqua juste à cet instant une montagne très intéressante dans le lointain et elle l'examina minutieusement. Ses joues étaient brûlantes.

– Et alors ? se fâcha Séréna. Qu'est-ce que ça peut vous faire ?

– Chère Séréna, reprit Jon-Jolyon en posant sa main immaculée sur le bras de la jeune fille. J'essaie seulement de vous aider. Vous ne connaissez pas Arthur comme je le connais. Il n'a qu'un seul amour et jamais il ne...

Séréna reprit son bras, mais il était évident qu'elle attendait que Jon-Jolyon termine sa phrase.

– Un seul amour ? souffla-t-elle. Qui ?

Jon-Jolyon se mit à rire.

– L'*Euphonia*, bien sûr !

Séréna sourit, visiblement soulagée, et se leva :

– Oh ! L'*Euphonia* ! Je crois que je peux soutenir la comparaison !

– C'est ce que toutes les autres filles ont dit avant vous, lança négligemment Jon-Jolyon en examinant ses ongles.

– Toutes les autres filles !

Séréna se rassit.

– Oh ! Aurais-je oublié de parler des autres filles ? dit Jon-Jolyon. Oui, Arthur a une fiancée dans chaque port. Bien sûr, si vous lui posez la question, il niera. Il sera cependant bien obligé de vous avouer que jamais il ne quittera l'*Euphonia*. Moi, j'ai de grands projets. Justement, je disais l'autre jour à votre mère...

Mais Séréna ne l'écoutait plus. Elle avait bondi et s'appuyait maintenant au bastingage, les mâchoires serrées, des larmes plein les yeux.

Et à cet instant, un événement extraordinaire se produisit. L'homme de la cabine 21 se leva, farfouilla

dans sa poche et sortit un mouchoir (aussi blanc que son costume et brodé d'un H bleu dans le coin). Il le tendit à Séréna. Puis il s'éloigna lentement.

Jon-Jolyon tendit à la hâte son propre mouchoir (qui était rouge à pois blancs), mais Séréna passa devant lui sans le regarder et s'enfuit dans sa cabine en se tamponnant les paupières avec le mouchoir blanc. Zoé tourna les talons, jeta un regard noir à Jon-Jolyon et emboîta le pas à sa sœur.

Elle s'apprêtait à descendre les marches quand elle sentit quelque chose de mou sous son pied gauche. De mou, spongieux et très collant.

– Berk ! s'écria-t-elle en soulevant le pied pour voir sur quoi elle avait marché.

Un long fil élastique, blanc et brillant reliait sa chaussure au pont. Elle regarda de plus près, mit le doigt sur l'étrange matière et le porta à son nez. Ça sentait la vanille et le sucre.

ia

– Un Chamallow, marmonna-t-elle en faisant une moue. Beurk, c'est dégoûtant !

Ce n'est pas que Zoé n'aimait pas les Chamallow. Parfois, en camping, elle en faisait griller avec ses frères. Ils restaient éveillés toute la nuit et se racontaient des histoires de fantômes. C'était délicieux. Mais un Chamallow sur la semelle de votre chaussure n'était pas aussi appétissant. Particulièrement par une journée aussi chaude, quand il avait fondu et s'était transformé en une substance gluante.

Zoé ouvrit le *Guide Hoffendinck* et déchira soigneusement un morceau d'une page de notes. La photo d'une chèvre en train de rire sur la page opposée attira son attention. Elle s'arrêta un moment pour lire l'article qui l'accompagnait.

LES VILLES DE LA CÔTE DALCRÉTIENNE

DORALAKIA

La petite ville isolée de Doralakia est considérée comme le joyau de la côte dalcrétienne. Située à la pointe de la péninsule, la ville illuminée par les lumières des maisons-tours est magnifique, vue de la mer. Les maisons-tours de Doralakia sont uniques et valent le détour, ainsi que le petit port, ses chaleureuses tavernes et sa petite épicerie typique.

Les Doralakiens sont sans aucun doute parmi les Dalcrétiens les plus hospitaliers. Leur festival du Plus Long Après-Midi est le plus élaboré de la région. On peut y voir la remarquable chèvre rieuse.

LA CHÈVRE RIEUSE

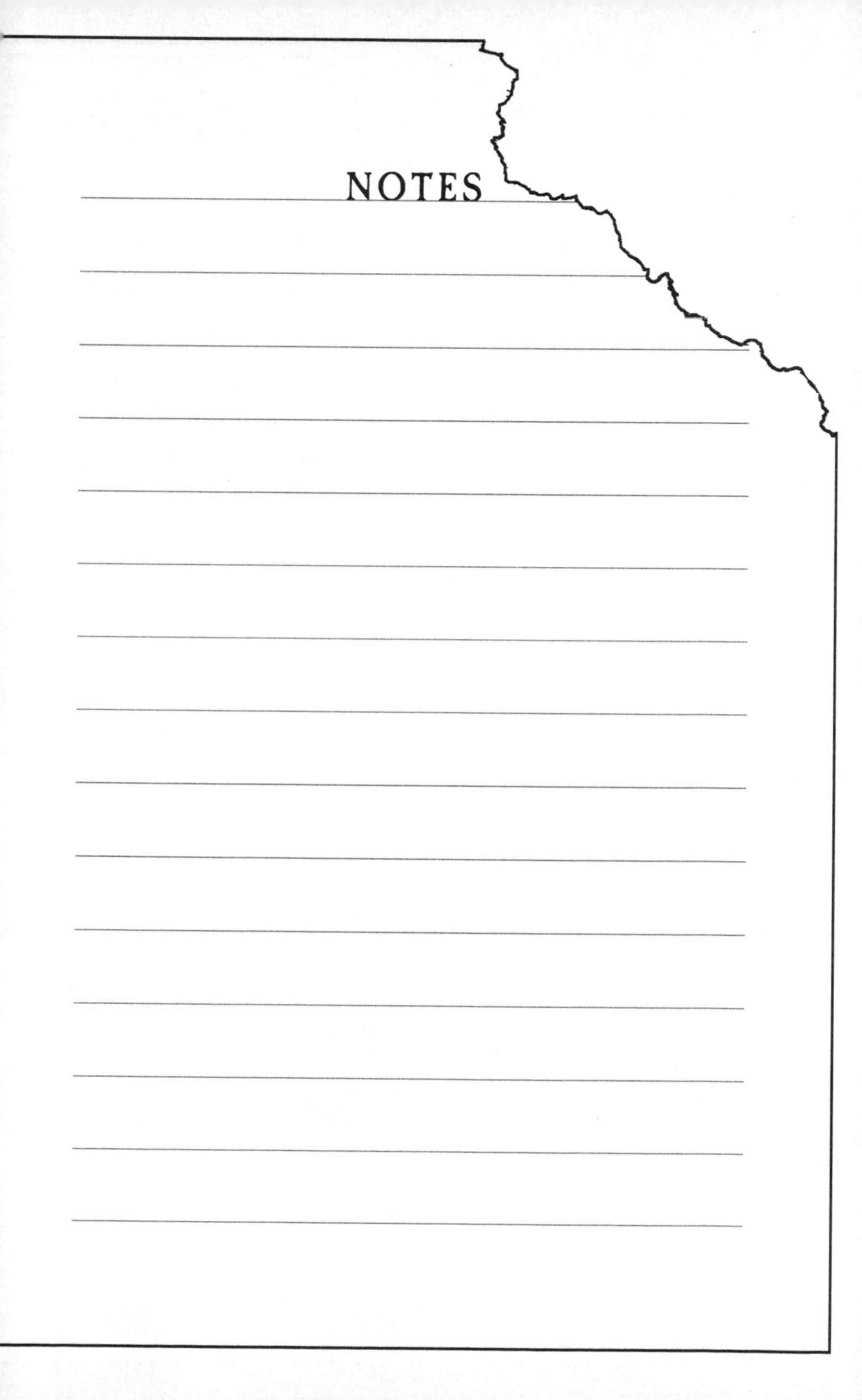

NOTES

« Quel bel endroit », pensa Zoé en refermant le guide.

Elle utilisa le morceau de papier pour essuyer du mieux qu'elle put la semelle de sa chaussure et reprit son chemin. Son pied gauche collait à chaque pas.

Dans l'escalier, elle s'arrêta. Elle avait repéré un deuxième Chamallow. Rose. Elle le ramassa et continua de descendre. Là, sur le palier entre les deux escaliers, un troisième. Rose également. Elle s'arrêta et réfléchit.

On pouvait laisser tomber un Chamallow. Deux Chamallow, ça ressemblait à de l'inattention. Mais trois... ça constituait une piste. Zoé en chercha un quatrième des yeux.

Elle en repéra deux nouveaux au milieu du deuxième escalier. Un rose et un blanc, collés ensemble. Elle les ramassa aussi.

Plus loin sur le pont, Zoé en trouva un autre, blanc, et puis encore un autre et encore un. Elle redressa la tête et prit une longue inspiration.

La piste des Chamallow semblait mener juste à côté de la cabine 21.

Zoé décida de la suivre, ramassant les Chamallow au fur et à mesure jusqu'à se retrouver devant la porte. Le cœur battant, elle saisit la poignée et la tourna. La porte s'ouvrit et Zoé entra. Elle se retrouva dans un...

… placard à balais.

Elle resta un instant immobile, entourée de serpillières, de seaux et de balais, une poignée de Chamallow à la main, et elle se sentit un peu stupide.

C'est à ce moment qu'elle l'entendit.

La chanson triste, qui s'élevait en vagues, qui montait et descendait comme le hurlement d'un loup ou le chant d'un oiseau solitaire appelant ses congénères.

Ça venait de très près.

Zoé tendit les bras et poussa le mur du fond du placard à balais. Ce n'était pas un mur, mais une autre porte. Une lourde porte métallique, très légèrement entrouverte. Retenant sa respiration, Zoé passa la tête dans l'entrebâillement.

D'abord, elle ne put rien distinguer, puis petit à petit ses yeux s'accoutumèrent à l'obscurité.

La porte donnait sur une immense salle qui semblait servir de réserve. Elle était pleine à craquer de sacs en toile de jute, de coffres et de caisses étiquetées. Il y avait également de grandes malles vernies. Elle en reconnut certaines qui appartenaient à ses parents. La chanson triste semblait venir d'une grande caisse en bois placée dans un coin de la pièce.

Aussi silencieusement que possible, Zoé entra dans la réserve. Sur la pointe des pieds, elle avança dans le noir, osant à peine respirer. Elle s'arrêta devant plusieurs caisses. Elle marcha sur quelque chose qui fit du bruit. Le chant s'arrêta aussitôt. Zoé avait marché sur un sac en plastique. Elle le toucha du bout du pied. Il était vide. Elle entendit soudain un souffle. Plissant les yeux, elle perçut un mouvement dans la caisse. Elle regarda mieux.

Elle vit un énorme œil triste qui l'observait.

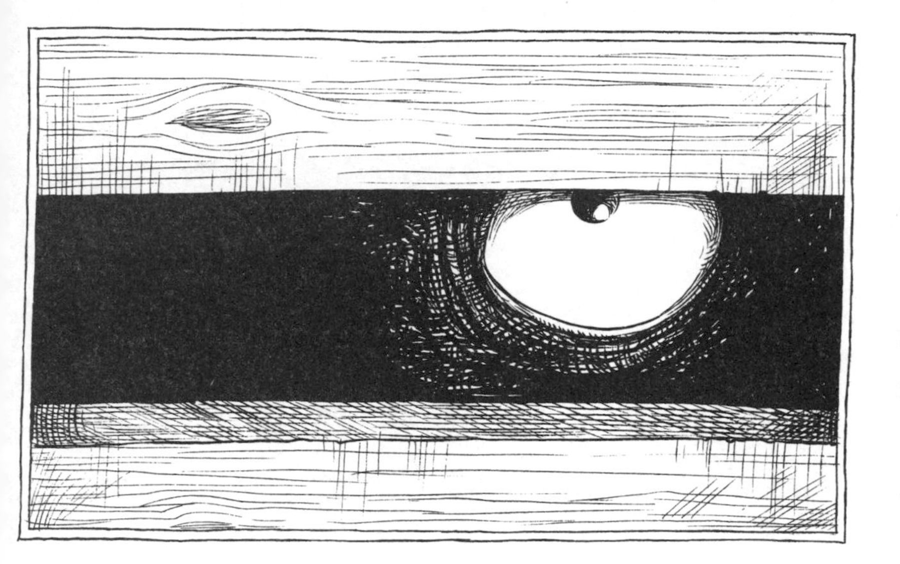

10
La cérémonie du « On-y-est-presque »

lle a entendu ma chanson et elle est venue. Une petite fille est venue. Ce n'est pas la petite fille du palais. Il y avait des larmes dans ses yeux.

Elle m'a donné des pétales, des tas de pétales blancs et sucrés. Elle m'a parlé à voix basse, je ne comprenais rien, mais sa voix était douce et apaisante. Je n'ai plus été triste… du moins pendant un moment.

– Un peu moins vite, jeune fille, et regardez où vous allez ! grogna le capitaine Belvédère en se relevant.

– Excusez-moi, capitaine, dit Zoé.

Elle était sortie du placard à balais en courant et lui avait foncé dedans.

À quatre pattes, Zoé récupéra son *Guide Hoffendinck* et quelques documents qui étaient tombés. Il y avait la carte de M. Times-Roman, un manuel qui

expliquait comment utiliser le bain de pieds mécanique dans sa chambre, son billet de voyage, une photo de l'enjambement Tamberlaine-Marx juste avant qu'il s'écroule et…

– Je crois que c'est à vous, jeune fille, dit le capitaine Belvédère de sa voix morne en tendant à Zoé l'étiquette à moitié déchirée qui s'était collée à sa semelle.

– Oui, merci, capitaine, dit Zoé en remerciant le ciel que le capitaine ne l'ait pas regardée de plus près.

Elle ouvrit son guide et colla l'étiquette sur une page blanche.

GUIDE HOFFENDINCK

LA CÉRÉMONIE DU « ON-Y-EST-PRESQUE »

Les origines de cette cérémonie sont aussi mystérieuses que la cérémonie elle-même. Elle a été instituée sur l'*Euphonia* lors de son premier voyage et a été scrupuleusement suivie lors de chacun des voyages suivants. Cette tradition s'est d'ailleurs propagée sur d'autres navires. La légende affirme que si l'on ne célèbre pas cette cérémonie, le bateau n'atteindra jamais sa destination, condamné à naviguer sans jamais aborder, perpétuellement « presque » arrivé.

La cérémonie en elle-même concerne aussi bien l'équipage que les passagers qui doivent se déguiser et participer à une grande fête. Ont lieu pour l'occasion des jeux traditionnels comme « la Sirène aveugle » et « l'Iceberg musical ». On joue tard dans la nuit afin d'apaiser Neptune, le dieu des Océans, et sa femme Médusa dont les rôles sont joués respectivement par le capitaine et son second.

QUELQUES IDÉES DE COSTUMES :

Le cochon dansant de Fedrun

L'uniforme du capitaine

L'uniforme du second

Une sirène

(Et tout ce que vous voulez d'autre, excepté un costume de clown, qui, selon la légende, porte malheur.)

NOTES

LA
COMPAGNIE
DE CARGO
EUPHONIA
HAUT
DESTINATION :
Le Port-du-Haut
DESCRIPTION :
COSTUMES DE CLOWNS ET ACCESSOIRES
PROPRIÉTAIRE :
M. Times-Roman

Puis elle referma son guide et sourit innocemment au capitaine.

Zoé avait déchiré l'étiquette de la caisse en bois. Elle comptait la montrer à son père et lui parler de la créature qui y était prisonnière. Il saurait sûrement quoi faire.

Elle marcha à grands pas vers la cabine de ses parents à l'autre bout du navire.

– N'oublie pas la cérémonie du « On-y-est-presque », jeune fille, lui lança le capitaine. Tout le monde doit être présent. Pas d'exception. Même pour moi ! Pourtant, je n'ai aucune envie de…

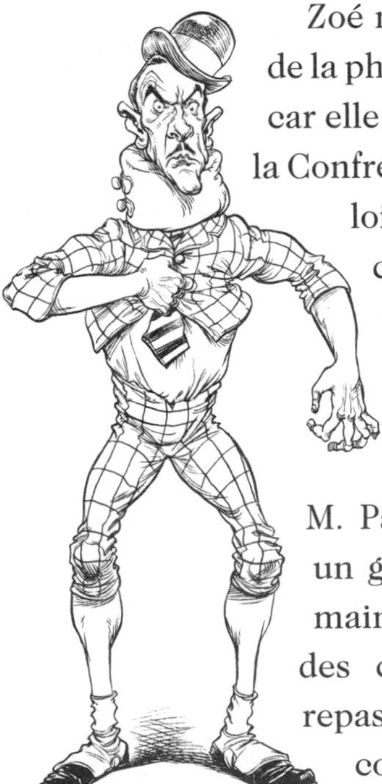

Zoé ne prit pas le temps d'écouter la fin de la phrase du capitaine. Elle se dépêchait, car elle n'avait aucune envie de tomber sur la Confrérie des clowns. Elle atteignit le couloir qui menait aux cabines sans les croiser. Elle poussait un soupir de soulagement quand… la porte de la laverie s'ouvrit brusquement.

M. Times-Roman, suivi de M. Franklin-Gothic, M. Bembo, M. Palatino et M. Garamond (qui avait un gros paquet de Chamallow dans les mains) en sortirent. Ils portaient tous des costumes propres et fraîchement repassés mais qui semblaient avoir beaucoup rétréci au lavage.

M. Times-Roman, raide comme un piquet, se tourna et se retrouva face à Zoé. Il avait une minerve autour du cou. Il avança vers elle, son chapeau melon vert chancelant sur le haut de son crâne. Il avait les doigts crispés et il était tout engoncé dans sa veste minuscule.

– Tiens, grogna-t-il, comme on se retrouve…

À cet instant, un rire formidable éclata derrière lui. Dans un gémissement de douleur, M. Times-Roman tourna la tête.

– Oh, je suis désolée ! couina Mme Zéphyr. C'est juste que… Oh, si vous saviez comme vous êtes drôles !

Elle prit Zoé par la main en essayant en vain de se retenir de rire.

– Enfin, je te retrouve, ma chérie ! dit-elle à Zoé tremblante. Je t'ai cherchée partout. Si tu ne te dépêches pas, tu vas être en retard pour la cérémonie du « On-y-est-presque » ! Et ça, on ne peut pas se le permettre, n'est-ce pas, messieurs ? ajouta-t-elle en s'adressant à la Confrérie des clowns.

Ces derniers la saluèrent en soulevant leurs chapeaux, mais le sourire de M. Times-Roman était presque invisible. Mme Zéphyr entra dans sa cabine avec Zoé et referma la porte derrière elle. Dans le couloir résonnait son rire irrépressible.

M. Times-Roman grimaça.

– Personne ne rit au nez de la Confrérie des clowns, grinça-t-il, ou alors, il le regrette amèrement.

Sur le pont supérieur, le gramophone diffusait les lamentations de Daisy chantées par dame Ottaline Ffarde. Sa voix emplissait l'air tiède de la nuit pour au moins la centième fois. Près du gramophone, un étonnant personnage vêtu d'une perruque verte et d'une jupe de la même couleur, armé d'un trident, souleva l'aiguille. Aussitôt, les danseurs, tous étrangement accoutrés, s'arrêtèrent de danser et devinrent immobiles comme des statues.

Un petit homme grassouillet déguisé en coquillage vacillait sur une jambe.

– Vous avez bougé ! cria le lieutenant Jon-Jolyon coiffé de sa perruque verte en le désignant du bout de son trident.

M. Garamond, qui était déguisé en bulot cracheur, s'apprêta à quitter la piste de danse.

– Non, pas vous ! Vous ! cria Lèchecœurcraque.

Arthur, aussi immobile qu'une statue et très à son avantage dans un uniforme de second, haussa les épaules.

– Si vous le dites, Médusa, rit-il.

Il alla s'asseoir sur un des transats près d'une table où était posé un grand plateau plein de sandwichs à la sardine. À côté du plateau, il y avait une immense carafe de lait de coco sur laquelle avait été écrit *Nectar de Neptune* et un grand plat de gâteau de riz dans lequel était planté un petit drapeau annonçant *Délice de Médusa*.

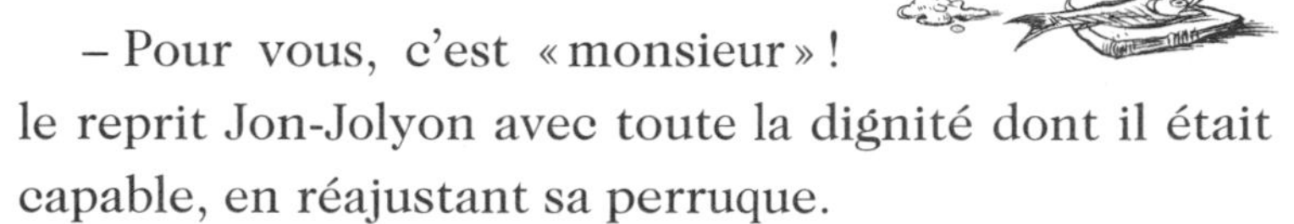

– Pour vous, c'est « monsieur » ! le reprit Jon-Jolyon avec toute la dignité dont il était capable, en réajustant sa perruque.

Puis il reposa l'aiguille du gramophone sur le disque.

– *Oh, cher Alfred, mon cœur se brise...* chantait dame Ottaline Ffarde sous les craquements du vieux disque.

« ... et j'ai mal aux pieds », songea Zoé en essayant de danser. Ce qui n'était pas si facile quand on était déguisé en abeille (une idée de sa mère). Et aussi quand on était surveillé par cinq clowns en colère habillés en Lemuel Gibbons pour M. Times-Roman et en bulots cracheurs pour les autres.

La musique s'arrêta de nouveau.

– Vous, vous, vous et vous ! dit Jon-Jolyon en désignant M. Garamond, Zoé, Mme Chapeaubas (déguisée en... théière ?) et l'homme de la cabine 21, habillé en – c'est du moins ce que Zoé avait supposé – cochon dansant de Fedrun.

Il ne restait plus sur la piste que Séréna, vêtue d'une sublime robe blanche et dont les cheveux étaient ornés d'éclairs. Sa poitrine était barrée d'une banderole sur laquelle on pouvait lire : *Esprit de l'Euphonia*.

– Vous avez gagné ! annonça Neptune d'une voix morne du haut de son transat-trône décoré avec un coquillage en carton. Je suppose que maintenant Neptune et Médusa sont apaisés mais, pour plus de sécurité, nous allons rejouer à la Sirène aveugle.

Zoé grogna. C'était la pire fête à laquelle elle ait jamais assisté. D'abord, personne n'avait le droit de manger.

– La nourriture est purement symbolique, avait expliqué le lieutenant d'un ton docte.

Ce n'était sans doute pas plus mal, parce que les sandwichs étaient rien moins qu'appétissants. De plus, il n'y avait que deux jeux particulièrement ennuyeux que l'on répétait sans arrêt. « Pour apaiser Neptune », leur avait rappelé Jon-Jolyon.

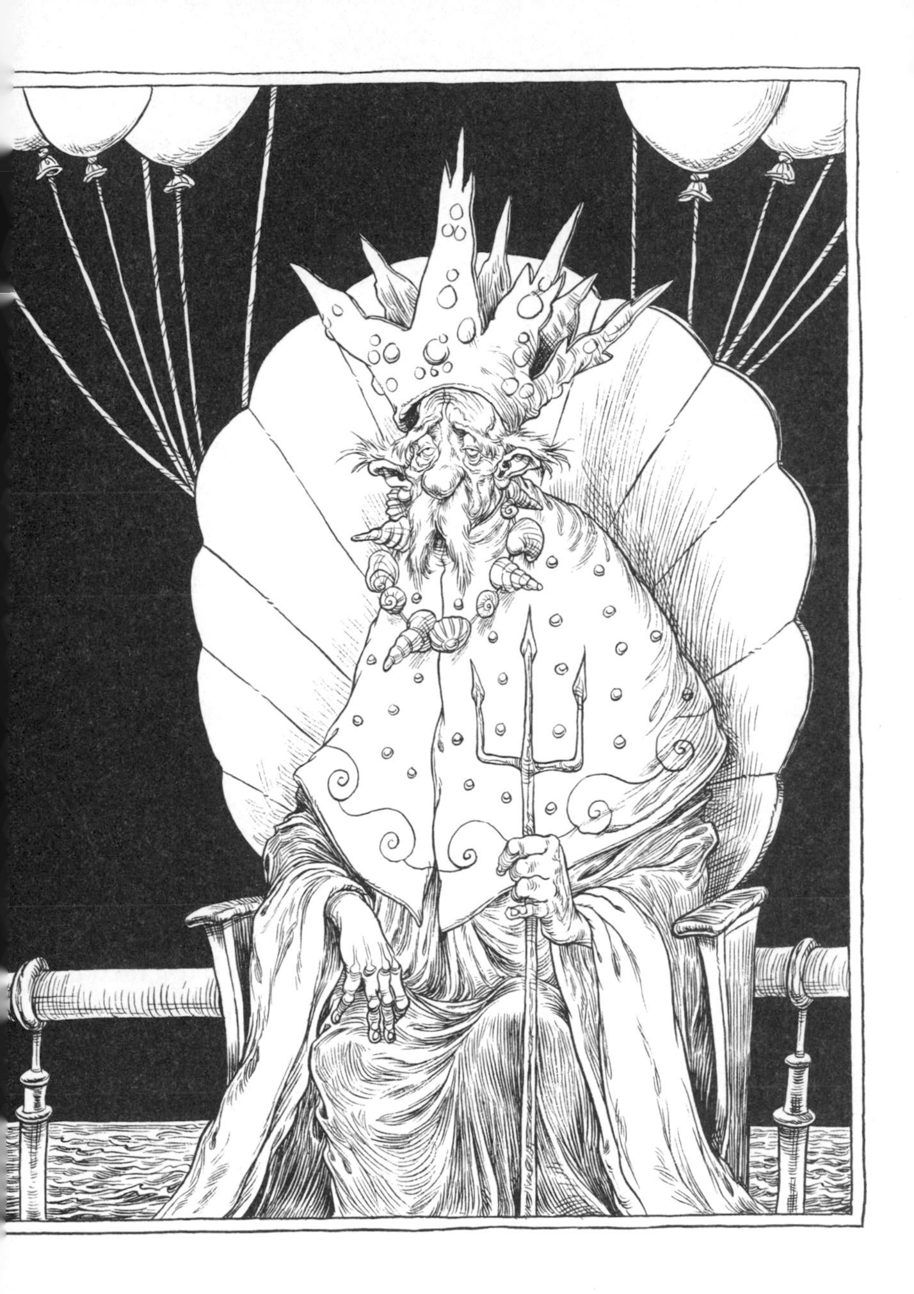

Les frères de Zoé s'ennuyaient tout autant qu'elle. Ils étaient déguisés en champions de différents sports. Cédric était « Buffy » le Magicien, l'as du croquet de pont, Hubert était L.P. Smythe des Vieux Moutardiers, Ernest, « Flim-Flam » Andrews, le recordman de hockey sur table, et Toby, Teddy Luscombe qui avait marqué 23 points à la thèque lors de la saison dernière.

Séréna évitait Arthur. Et le père de Zoé, vêtu du costume national de Dalcrétie – avec l'immense chapeau – était trop préoccupé pour que Zoé puisse lui parler. Tout en écoutant le mystérieux *clong*, il faisait d'étranges calculs sur le dos de sa main. Seule Mme Zéphyr semblait s'amuser. Coiffée d'un énorme turban de Lissari, elle se trémoussait et se moquait gentiment de la Confrérie des clowns qui étaient plus bizarres que jamais ainsi costumés.

– La Sirène aveugle ! annonça Jon-Jolyon en plaçant un sac en papier sur la tête de M. Palatino avant de le faire tourner sur lui-même.

Tous les autres participants devaient rester sans bouger sur un pied. M. Palatino jeta un coup d'œil sous le sac et, en grommelant, il se dirigea sur la pointe des pieds vers Zoé. Zoé s'apprêtait à crier quand M. Palatino glissa sur un sandwich à la sardine qui était tombé du plateau. Il s'étala de tout son long et le sandwich vola dans les airs.

– Je l'ai ! cria Hubert en bondissant pour le rattraper d'une seule main.

– Bien joué ! le félicita Cédric.

– On y va ? rit Ernest.

Ses frères acquiescèrent.

– Bataille de sandwichs ! hurla Toby.

Les frères Zéphyr saisirent les sandwichs et le gâteau de riz à pleines poignées, Arthur prit la carafe de lait de coco.

– J'ai dit que la nourriture était… protesta Jon-Jolyon.

Arthur lui versa le contenu de la carafe sur la tête avant de lancer en riant :

– … purement symbolique !

Des sardines et des tranches de pain volaient dans les airs, les Chapeaubas, théière et tasse à thé, coururent se mettre à l'abri. Ils se cognèrent dans le cochon dansant de Fedrun. Mme Zéphyr hurla de rire au moment où la Compagnie des clowns reçut une pluie de gâteau de riz.

– Personne ne rit de… blub blub, de… crachouilla M. Times-Roman en recevant un gros morceau de gâteau au milieu du visage.

M. Zéphyr, occupé à déterminer le pourcentage de pignons nécessaires au bon fonctionnement de la roue de Wibbler, ne réalisa même pas qu'un morceau de sandwich à la sardine était collé à son chapeau.

– Ah, les garçons ! soupira Mme Zéphyr en riant. Ils ont tellement besoin de se laisser aller. Et puis après tout, cette cérémonie est censée être une fête !

– Whiffflll, whiffll, dit Mme Chapeaubas.

– Mmmmm ! renchérit M. Chapeaubas.

Le cochon dansant de Fedrun réajusta ses lunettes de soleil et se dirigea vers la cabine 21.

– Neptune est satisfait, déclara le capitaine Belvédère de sa voix maussade en ôtant sa couronne en carton. Je déclare la cérémonie du « On-y-est-presque » terminée !

Il caressa ses gros sourcils.

– « Enfin » est le premier mot qui me vient à l'esprit, ajouta-t-il.

Les frères Zéphyr et Arthur l'applaudirent à tout rompre.

– Allons, il est temps d'aller au lit, annonça gaiement Mme Zéphyr. Toi aussi, ma petite abeille. La journée a été longue.

– Mais je voulais montrer à Papa le… commença Zoé en ouvrant son guide.

– Eurêka ! J'ai trouvé ! s'écria soudain M. Zéphyr en relisant l'équation qu'il avait écrite sur sa main.

Il se précipita vers Arthur.

– Arthur, mon garçon, allez vous changer ! Nous avons une longue nuit devant nous !

Zoé regarda les deux hommes s'éloigner. Sa mère la prit par la main.

– Je suis sûre que ça peut attendre demain matin, ma chérie.

– J'espère, soupira Zoé en regardant sombrement le pont désormais désert. J'espère vraiment !

11
La cabine 21

lle est venue quand j'ai chanté. La petite fille est venue et m'a donné les pétales blancs. Elle m'a parlé. Mais elle est repartie et je suis à nouveau triste. Peut-être que si je chante…

Quand Zoé regagna sa cabine, Séréna ne s'était pas encore changée. Les éclairs qui ornaient ses cheveux gisaient sur le sol, ses cheveux défaits tombaient sur ses épaules. Zoé vit tout de suite qu'elle avait pleuré.

– Qu'est-ce qui t'arrive ? demanda-t-elle à sa sœur en s'asseyant prudemment sur le bord de son lit.

Malgré les réparations de son père, elle ne faisait pas encore totalement confiance aux lits de la cabine.

– Esprit de l'*Euphonia* !

Séréna émit un rire amer et arracha sa banderole. Elle la laissa tomber sur le sol à côté des éclairs.

– Quelle blague !

Zoé lui prit la main.

– Arthur est amoureux de moi, tu sais, reprit Séréna en serrant la main de sa sœur dans la sienne. Mais il aime encore plus ce vieux rafiot rouillé ! C'est exactement ce que m'avait dit Jon-Jolyon.

– Jon-Jolyon ! s'énerva Zoé. Qu'est-ce qu'il en sait ?

– Bien plus que tu ne crois, Zoé, dit Séréna, des larmes plein les yeux. Et puis, il sera capitaine un jour, il possédera son propre bateau… pas comme Arthur.

Zoé serra sa sœur dans ses bras.

– Peut-être qu'un jour, Arthur… commença-t-elle.

– Non ! s'écria Séréna en la repoussant. Il ne quittera jamais l'*Euphonia*. Il me l'a dit ce soir. Il se fiche que ce bateau soit rouillé et bon pour la casse, il se fiche de passer sa vie à le réparer, il se fiche de travailler à la place de tous les membres de l'équipage qui sont partis…

Séréna éclata en sanglots et enfouit son visage dans le mouchoir blanc que lui avait donné l'homme de la cabine 21.

– Il ne quittera jamais l'*Euphonia*, même par amour pour moi !

– On ne sait jamais, insista Zoé, il changera peut-être d'avis...

Séréna releva la tête. Ses yeux lançaient des éclairs.

– De toute façon, c'est trop tard, lança-t-elle. Je ne veux plus de lui.

Elle renifla.

– Je vais m'intéresser vraiment à Jon-Jolyon maintenant. Il a un grand avenir devant lui et il m'aime. Il me l'a dit. Ah ! j'ai hâte de voir la tête d'Arthur quand je lui annoncerai ! Stupides poissons d'amour ! Ils se sont complètement trompés !

– Mais Séréna... protesta Zoé. Tu ne peux pas t'intéresser à Jon-Jolyon, il est mielleux et en plus il triche au rugby de pont !

– Ça m'est bien égal ! affirma Séréna en se glissant dans son lit avant de se cacher la tête dans ses draps. Tout ça c'est la faute d'Arthur !

Et elle se remit à pleurer de plus belle. Cette fois, elle ne s'arrêta pas. Zoé prit son *Guide Hoffendinck* et se glissa silencieusement hors de la cabine.

C'était le problème avec Séréna, songea Zoé. Elle était beaucoup trop romantique. Elle croyait tout ce qu'elle lisait dans ses livres d'amour.

Arrivée sur le pont, Zoé se dirigea vers la proue à grandes enjambées. Dans le lointain, la péninsule dalcrétienne ressemblait à un énorme gâteau d'anniversaire

surmonté de bougies qui étaient en fait les lumières de la ville. Il y en avait des centaines qui scintillaient faiblement. Leur lumière se reflétait sur la mer. Le spectacle était magique. Zoé aurait pu rester toute la nuit à l'admirer. Mais elle avait une mission importante à remplir.

La chanson triste.

Elle venait de s'élever à nouveau. Douce et lointaine. La créature dans la caisse l'appelait, Zoé en était sûre.

Elle alla jusqu'aux marches qui menaient aux cales de l'*Euphonia*. Elle les descendit le plus silencieusement possible. Ce qui n'était pas évident avec son déguisement d'abeille et ses ailes en papier. De la salle des machines montaient des *clang* et des *clong*. Arthur et son père étaient en plein travail.

Dès demain, elle parlerait à son père. Il saurait quoi faire. Mais pour le moment, elle allait se rendre auprès de la créature pour la réconforter. Elle devait tellement souffrir, prisonnière de cette horrible caisse en bois. Zoé se sentit bouillir de colère. Comment pouvait-on se montrer si cruel ? Ah ! se dit-elle. Dès que son père serait au courant, cette satanée Confrérie des clowns n'aurait plus qu'à bien se tenir !

Devant le placard à balais, elle s'arrêta.

La porte de la cabine 21 était ouverte.

Zoé ne put y résister. Elle s'approcha sur la pointe des pieds en essayant de ne pas faire bruire ses ailes en papier et jeta un coup d'œil.

L'intérieur de la cabine était magnifique. Un immense lustre décoré de poissons d'amour et de vagues sculptés pendait du plafond. Les murs en panneaux de bois étaient couverts de livres. Neptune et Médusa, hautes statues de bois, montaient la garde de chaque côté de la porte à double battant.

Sur les tables et dans les vitrines, se côtoyaient les objets les plus extraordinaires : de hauts chapeaux de pêcheurs de Fedrun, des vases à long col, des jarres peintes de chèvres rieuses et de bœufs compteurs, des rouleaux de tissus somptueux, des amphores remplies de concombres sucrés et d'autres de miel, fermées par des bouchons de liège.

Au milieu de la pièce, dans un fauteuil confortable, ronflait un homme en costume de cochon. Sur le guéridon près de lui, Zoé vit une bouteille à moitié vide dont l'étiquette annonçait : *Cognac doralakien de haute qualité*, et la photo encadrée d'une très belle femme aux yeux sombres.

Zoé s'apprêtait à ressortir quand elle remarqua un détail étrange. Les livres dans la bibliothèque… c'étaient tous des guides Hoffendinck.

12
Minuit dans la cale du navire

Qu'est-ce que c'est ? La petite fille reviendrait-elle ? Elle m'a peut-être entendue chanter ?

Je ne vois rien, il fait trop sombre dans cette forêt et je ne peux pas bouger dans cet arbre creux.

– Qu'est-ce que c'était ? murmura M. Garamond.

– Qu'est-ce que c'était quoi ? siffla méchamment M. Franklin-Gothic.

– Ce bruit ! répondit M. Garamond. On aurait dit un éternuement. Ça venait de par là…

Il leva sa lampe vers la pile de caisses dans le coin de la cale.

– J'ai rien entendu, grinça M. Franklin-Gothic sur un ton méprisant.

Il secoua la tête.

– Ce job te porte sur les nerfs, mon vieux !

– C'est pas ma faute, se plaignit M. Garamond en donnant un petit coup de pied dans la caisse devant laquelle il se trouvait. C'est à cause de son chant. Ça me donne des frissons. Je l'entends tout le temps dans ma tête… et ça me rend tellement triste.

– Tu seras encore plus triste si le chef t'entend parler de cette façon, crois-moi. Alors maintenant, donne-lui ces Chamallow et tirons-nous d'ici, lâcha Franklin-Gothic.

M. Garamond se baissa et ramassa le paquet de Chamallow à côté de la caisse.

– C'est bizarre, dit-il. Le dernier paquet avait un trou et maintenant, celui-là est à moitié vide.

Il regarda autour de lui.

– Doit y avoir des rats. J'aurais pas dû le laisser là…

– C'est pas grave ! l'interrompit Franklin-Gothic. Active maintenant. Cet endroit me donne la chair de poule.

– Un, deux, compta M. Garamond en faisant passer les Chamallow par les interstices de la caisse. Trois… quatre…

– Fais gaffe, Gary, le prévint M. Franklin-Gothic. Le patron a dit pas plus de deux ou trois à la fois.

Il prit le quatrième Chamallow des mains de M. Garamond et, le tenant entre le pouce et l'index, le mit dans le halo de la lampe pour le regarder de plus près. Il émit un sifflement.

– Il y a assez de somnifère dans une de ces jolies friandises pour te faire dormir pendant une semaine, Gary. Alors vas-y mollo.

M. Garamond haussa les épaules.

– En tout cas, maintenant, il a arrêté de chanter.

À cet instant, un cliquetis de clés se fit entendre de l'autre côté de la porte.

– Il est temps de se barrer, Frank, murmura M. Garamond.

– C'est exactement ce que j'allais te proposer, Gary, répondit M. Franklin-Gothic en éteignant la lampe. Fais juste attention de pas te prendre les pieds dans une des serpillières en sortant. Et essaie de pas faire grincer tes chaussures !

Les deux clowns disparurent dans le placard à balais quand une porte marquée *Cabines 22-40* s'ouvrit brusquement. Le capitaine Belvédère se glissa dans la cale. Derrière lui se tenaient deux hommes plutôt baraqués, vêtus de pantalons bouffants et de maillots sales. Ils avaient de grosses moustaches et portaient des bonnets rouges à pompon.

– Dépêchez-vous, les pressa le capitaine Belvédère. On n'a pas beaucoup de temps. Je ne suis pas censé faire escale ici.

En réalité, l'*Euphonia* n'avait pas vraiment fait escale. Le navire avait seulement ralenti près de la côte. Les propriétaires du cargo n'auraient sans doute pas apprécié cette halte. Mais, raisonnait le capitaine Belvédère, ce qu'ils ignoraient ne pouvait les déranger. Et puis, Mama Mésapoliki le payait assez bien pour ce simple ralentissement. De cette façon, ses fils pouvaient accoster avec leur barque et embarquer sa commande.

– Les caisses appartenant aux passagers sont clairement identifiées, dit le capitaine Belvédère d'une voix lente et claire aux deux hommes.

On aurait pu croire qu'il parlait à des petits enfants. Il désigna une étiquette en forme de losange sur une des malles.

– Vous ne touchez pas aux caisses étiquetées, répéta-t-il. Vous avez bien compris ?

Les deux hommes acquiescèrent, ce qui eut pour effet de faire remuer leur pompon.

– Les vôtres sont de ce côté, reprit le capitaine. Dans la partie de la cale qui auparavant était la cabine 37. Elle était équipée d'un Jacuzzi d'eau de mer…

Son regard se fit lointain et il caressa sa moustache de morse triste.

– Ce Jacuzzi était une merveille de plomberie. La reine Rita y baignait son épagneul, Mitzi. Elle

lui mettait du bain moussant au lait de coco, je me rappelle...

Les deux hommes échangèrent un regard perplexe.

– Sans étiquette, on prend, dit le premier.

– Avec étiquette, on laisse, ajouta le second.

– Excusez-moi ? demanda le capitaine Belvédère, les yeux dans le vague.

– Ça va ! dirent les deux hommes. On a compris.

Zoé ouvrit un œil.

Haricots aux chipolatas façon Mulligan, lut-elle.

Elle ouvrit l'autre œil. Devant elle, nichée dans la paille, se trouvait une vieille boîte de conserve un peu rouillée. Zoé tourna la tête. Quelque chose lui rentrait dans le dos. Elle tendit la main… c'était une autre boîte de conserve rouillée.

Spaghettis chiffres, lut-elle.

Où était-elle ? Elle voulut s'asseoir et se cogna la tête au couvercle de la caisse. Ah oui, bien sûr. Ça lui revenait à présent.

Après avoir regardé dans la cabine 21, elle était allée dans le placard à balais. Elle avait mis une serpillière dans le passage au cas où quelqu'un l'aurait suivie. La créature avait cessé de chanter dès que Zoé lui avait parlé. La petite fille lui avait donné quelques Chamallow qu'elle avait trouvés dans un paquet au pied de la caisse.

Puis elle avait léché le sucre sur ses doigts et avait sorti son *Guide Hoffendinck* pour prendre quelques notes. C'est à ce moment qu'elle avait entendu quelqu'un se prendre les pieds dans la serpillière.

Aussi rapide que l'éclair, Zoé avait sauté dans la première caisse entrouverte à sa portée et avait rabattu le couvercle sur elle. La caisse n'était remplie que de paille, ce qui l'avait étonnée, mais elle avait eu bien trop peur de se faire repérer pour se poser plus de questions. La paille lui avait chatouillé le nez et elle avait dû réprimer un éternuement. Heureusement, les clowns ne l'avaient pas entendue.

Ils avaient marmonné entre eux pendant ce qui lui avait semblé des heures, sans qu'elle parvienne à saisir ce qu'ils se disaient. Et puis, soudain, elle s'était sentie très fatiguée. Elle parvenait à peine à garder un œil ouvert. D'ailleurs, elle avait fini par s'endormir dans la paille.

Sauf qu'il n'y avait pas que de la paille dans la caisse, mais également des boîtes de conserve rouillées. Zoé farfouilla un peu et en trouva deux autres.

Prunes de la mère Léonard dans leur crème et *Boulettes supérieures de Cauldwell à la sauce viande*.

« Bon, se dit Zoé, je ne peux quand même pas rester là toute la journée à lire des étiquettes de boîtes de conserve. »

Elle devait trouver son père au plus vite. Elle repoussa le couvercle de la caisse et glissa un œil à l'extérieur.

C'est à ce moment qu'elle s'aperçut que…

Elle n'était plus dans la cale de l'*Euphonia*.
Mais où diable se trouvait-elle donc ?

13
L'Épicerie centenaire

C'est un si beau rêve.

Je suis de retour dans les jardins du palais et je sens une brise douce caresser ma peau. La petite fille m'apporte de l'herbe et des fleurs au goût de miel...

Je ne veux plus jamais me réveiller.

Zoé sortit de la caisse. Elle était tout en haut d'une haute pile d'autres caisses. Elle se trouvait dans ce qui ressemblait à... un magasin. Mais un magasin comme Zoé n'en avait jamais vu auparavant.

Elle descendit prudemment jusqu'en bas et éternua. La pièce était très sale. Tout était recouvert d'une fine couche de poussière : le sol, les étagères et les volets fermés qui ne laissaient passer qu'un mince rai de lumière.

Dans un coin se dressait un énorme comptoir ouvragé sur lequel trônait la plus vieille caisse enregistreuse du monde. À l'autre bout du comptoir était posée une énorme balance de cuivre. Entre les deux, avait été dressée une haute pyramide de boîtes de conserve qui semblait sur le point de s'écrouler.

Zoé regarda autour d'elle. Jamais elle n'avait vu autant de boîtes de conserve. Les étagères en étaient bourrées à craquer, du plancher au plafond. Des petites boîtes, des grosses boîtes, des boîtes étroites, des boîtes larges, des boîtes avec des clés pour les ouvrir collées sur le couvercle, des boîtes avec des capuchons en métal. Certaines étaient carrées, d'autres rondes, certaines étaient en métal ondulé, d'autres lisses… mais quelle que soit leur forme ou leur taille, elles avaient toutes un point commun : la rouille.

Il y en avait qui n'avaient pas dû être touchées depuis une bonne centaine d'années.

Zoé examina les étiquettes délavées.

Petits pois d'Ambrose. Cœurs de betteraves de Webster. Ragoût d'abricots de mamie Margie.

Baies forestières de Dandon au vinaigre. Huile de canard...

Tout à coup, la porte derrière le comptoir s'ouvrit et une minuscule petite bonne femme toute ridée entra. Elle portait une robe noire, un énorme turban et des pantoufles jaunes. Quand elle vit Zoé, elle poussa un hurlement et s'enfuit.

Zoé l'entendit crier d'une voix fluette :

– Nico ! Spiro !

Elle était sur le point de la suivre quand deux hommes immenses, aux moustaches noires et coiffés de bonnets rouges à pompon, apparurent dans l'encadrement de la porte. Zoé s'immobilisa.

Quand les hommes virent Zoé, ils s'arrêtèrent également et la fixèrent pendant ce qui sembla à Zoé un très long moment. En réalité, ça ne dura sans doute pas plus de quelques secondes. Soudain, ils renversèrent la tête et éclatèrent d'un grand rire. Zoé sourit timidement et attendit qu'ils reprennent

MAMA MÉSAPOLIKI

leur sérieux. Enfin, ils se séchèrent les yeux et elle prit la parole.

– Je m'appelle Zoé Zéphyr, dit-elle poliment. Pourriez-vous, s'il vous plaît, me dire où je suis ?

– Désolés, mademoiselle, répondit un des hommes. Nous ne voulions pas nous montrer grossiers mais Mama a eu une de ces frousses. Elle vous a prise pour une soulopol !

– Une soulopol ? répéta Zoé. Qu'est-ce que c'est ?

– C'est... comment dirais-tu ça, Spiro ? demanda l'homme en se tournant vers son frère.

– C'est une fée ! expliqua Spiro. Une affreuse et méchante petite fée... Pardonnez à Mama, elle est de Mésapoli et il y a beaucoup de superstitions là-bas.

– Eh bien, reprit Zoé, je ne suis pas une soulopol, mais une petite fille déguisée en abeille. Et j'aimerais vraiment beaucoup savoir où je suis.

– Vous êtes dans une épicerie, mademoiselle. L'épicerie de Mama, précisa Nico.

– Oui, ça, je vois, dit Zoé. Mais où ?

– À Doralakia, mademoiselle, répliqua Spiro.

– À Doralakia ? s'exclama Zoé en se rappelant ce qu'elle avait lu dans le *Guide Hoffendinck*. Le joyau de la côte dalcrétienne ? Avec ses maisons-tours et son adorable petit port ?

Spiro éclata à nouveau de rire et applaudit.

– Exactement !

– Avec ses chaleureuses tavernes ? Et sa petite épicerie ?

– Oui, rit Nico. L'Épicerie centenaire !

– Et sa chèvre rieuse ?

Les deux frères cessèrent brusquement de rire et baissèrent la tête.

– Comme nous vous l'expliquions, mademoiselle, vous êtes à Doralakia, dit Nico d'une voix triste.

À cet instant, la petite femme revint. Elle était armée d'un énorme balai pour chasser Zoé. Heureusement, ses fils lui expliquèrent dans leur propre langage que Zoé n'était pas une fée mais une petite fille déguisée. La vieille dame se calma et se mit à rire. Puis elle fit signe à Zoé de la suivre.

Zoé obéit. Elle emboîta le pas à la vieille dame qui l'entraîna dans un escalier interminable. Tout en grimpant, la vieille dame s'adressa à Zoé dans ce langage que la petite fille ne connaissait pas.

– Mama demande, traduisit Nico, comment tu es arrivée dans la réserve de l'épicerie ?

– Je suis montée par erreur dans une caisse qui se trouvait dans la cale de l'*Euphonia*, répondit Zoé.

EN SOLDE

Elle se dit que ce serait trop compliqué d'entrer dans les détails et de parler de la créature dans la caisse.

– Quand je me suis réveillée, ajouta-t-elle, j'étais ici.

La vieille dame posa une autre question.

– Mama demande, dit Nico, pourquoi tu as des ailes et des rayures sur le corps ?

Zoé soupira. Si raconter pourquoi elle était montée dans une caisse était difficile, décrire la cérémonie du « On-y-est-presque » relevait de l'impossible.

– C'est un costume d'abeille, dit Zoé. C'est une idée de ma mère.

– Abeille ! répéta joyeusement la vieille dame. Abeille, abeille !

Ils atteignirent enfin le haut de l'interminable escalier. La vieille dame ouvrit une porte qui donnait sur un large toit plat. Zoé en eut le souffle coupé. Ils se tenaient tout en haut d'une magnifique maison-tour. Des centaines d'autres les entouraient. À l'horizon, loin à l'horizon, Zoé aperçut l'*Euphonia*.

Zoé courut jusqu'au muret. Elle agita les bras et cria de tous ses poumons :

– Revenez ! Revenez ! Maman ! Papa !

La vieille dame secoua la tête et essaya de calmer Zoé qui luttait pour ne pas s'effondrer en sanglots.

– Mama dit qu'ils ne peuvent pas t'entendre, lança Spiro. Mais le bateau va revenir avec un nouveau chargement l'année prochaine.

– L'année prochaine ! gémit Zoé.

Cette fois, elle ne put retenir ses larmes plus longtemps.

La vieille dame la prit dans ses bras et lui tapota doucement la tête.

– Abeille, murmurait-elle doucement à l'oreille de Zoé, abeille, abeille…

Quand Zoé se fut un peu calmée, Mama Mésapoliki s'adressa à ses fils pendant un long moment. Elle bougeait ses bras dans tous les sens comme un moulin miniature. Spiro se tourna vers Zoé.

– Mama dit que tu dois rencontrer le maire, déclara-t-il simplement. Lui saura quoi faire.

14
La triste histoire de la chèvre rieuse

C’est un si beau rêve…

– Si j’ai appris une seule chose dans mon métier, lança Winthrop Zéphyr en essuyant ses mains pleines d’huile sur le chiffon que venait de lui tendre Arthur, c’est bien que le moindre détail peut se révéler de la plus grande importance. Parlons du pourcentage de pignons sur un rouage de Wibbler, par exemple.

Il fit les cent pas dans la salle des machines, entre les pistons qui pistonnaient régulièrement.

– C’est la manière dont Hubert a rattrapé ce sandwich à la sardine hier soir qui m’a éclairé. Il l’a saisi par la queue et l’a renvoyé d’une pichenette. Bien sûr, ai-je pensé. C’est le pourcentage de pignons ! Vous voyez, Arthur, les plus petits détails ! Et on oublie si facilement de les vérifier !

Arthur sourit et suivit M. Zéphyr dans sa déambulation.

– Vous nous avez débarrassé de ce mystérieux clong, s'enthousiasma-t-il. Vous avez fait des miracles, M. Zéphyr. Nos transats mécaniques fonctionnent de nouveau, ainsi que les parasols, les cuisines…

– Oh, ce n'était rien, mon garçon, rien du tout…

– Mais vous m'avez appris beaucoup, se récria Arthur, admiratif. Vous avez transformé l'*Euphonia*. Je n'ai jamais vu ses pistons pistonner avec autant de régularité ! Nous allons atteindre Le Port-du-Haut beaucoup plus vite que prévu et…

À ces mots, son visage se décomposa et son humeur sembla changer soudainement.

– Non, Arthur, je vous assure, ce n'était rien du tout, répondit gaiement M. Zéphyr.

Mais en se retournant, il avisa le visage de son jeune ami.

– Eh bien, mon vieux ! Que vous arrive-t-il ?

Il tapota l'épaule du mécano.

– Vous pourrez venir nous rendre visite au Port-du-Haut quand vous le désirerez. Vous serez toujours le bienvenu. Séréna sera ravie !

M. Zéphyr sourit.

– Ma femme m'a dit qu'elle avait le béguin pour vous…

– C'est sans espoir, dit Arthur en s'appuyant au bastingage. Je ne peux pas quitter l'*Euphonia*. Je l'ai promis à mon père. Il ne s'est jamais remis de la mort de ma mère et je suis sa seule famille…

– C'est très bien de votre part, apprécia M. Zéphyr, un peu gêné, en toussotant et en tripotant le vieux chiffon. Les enfants sont un tel réconfort parfois.

– Papa ! Papa ! Viens vite, Maman veut te voir ! crièrent les frères Zéphyr en surgissant dans la salle des machines.

– Qu'est-ce que c'est que toute cette agitation ? s'étonna M. Zéphyr. Fais donc attention à ces leviers à collets, Ernest ! Et toi, Hubert, ne te cogne pas dans le collecteur à resquille !

– C'est Zoé ! braillèrent les garçons en chœur. Elle a disparu.

– Comment ça, « disparu » ? demanda M. Times-Roman d'une voix calme. Comment une si grande caisse peut-elle disparaître ?

– Ben, j'sais pas, patron, répondit M. Franklin-Gothic.

– C'est un sacré mystère, renchérit M. Palatino.

– J'me pose encore la question, lança M. Bembo en se grattant la tête.

– Quelqu'un est entré dans la cale, marmonna M. Garamond. D'abord, il y avait cette satanée serpillière dans le passage et puis tous les Chamallow s'étaient envolés comme par enchantement...

Tous les yeux se tournèrent vers M. Garamond. Au même moment, sur le pont bâbord, la voix inquiète de Mme Zéphyr s'éleva :

– Zoé ? Zoé ? Où es-tu ?

Zoé, sur la pointe des pieds, regarda par-dessus le comptoir et retint un éternuement.

– Mama dit que si tu vas prendre le thé avec le maire, tu dois lui apporter quelque chose de très spécial, expliqua Nico.

La vieille dame monta tout en haut d'un escabeau à roulettes. Elle tendit la main vers la pyramide de boîtes de conserve. Elle vacilla. Zoé n'osait pas regarder : c'était évident, tout allait s'écrouler d'un instant à l'autre.

Mama Mésapoliki saisit une boîte au milieu de la pyramide. Tout doucement, elle la tira vers elle. La pyramide trembla, craqua… Les centaines de vieilles boîtes semblèrent se resserrer et se réaligner. Elles chancelèrent une dernière fois, mais rien ne tomba. La vieille dame brandit triomphalement la boîte.

– Y a des gens qui viennent de Lissari rien que pour voir Mama prendre une boîte de conserve, dit Nico avec un grand sourire.

La vieille dame descendit de l'escabeau et tendit à Zoé la boîte couverte d'une épaisse couche de poussière.

Macaronis au fromage et leur sauce fromagère de Snid et Mopaille, lut Zoé.

Mama Mésapoliki se plaça devant la caisse enregistreuse et appuya sur une touche. Dans un nuage de poussière et avec un *ding-ding* rouillé, une pancarte « gratuit » surgit.

Zoé éternua.

– Allons-y, dirent ensemble Nico et Spiro. Nous t'emmenons chez le maire.

Dehors, dans la rue pavée qui descendait vers le port, des dizaines et des dizaines de chèvres brunes et grises bêlaient. Leurs bergers, attablés aux terrasses des tavernes, les surveillaient d'un œil. Nico prit Zoé dans ses bras et la hissa sur ses épaules. Ils traversèrent ainsi le troupeau et se dirigèrent vers la colline.

– C'est laquelle la chèvre rieuse ? demanda Zoé.

Spiro poussa un long soupir.

– Aucune d'entre elles. La chèvre rieuse est morte.

Il secoua la tête.

– Oh, je suis désolée ! s'exclama Zoé en essayant de garder l'équilibre sur les épaules de Nico.

– L'histoire de la chèvre rieuse est une histoire triste, dit Nico.

– Elle a apporté la honte et le chagrin à Doralakia, acquiesça Spiro.

– Que s'est-il passé ? voulut savoir Zoé.

– À Fedrun, ils ont le cochon dansant, commença Nico. À Lissari, le bœuf compteur. Même à Mésapoli, où Mama est née, ils ont un âne qui tousse « Les Lamentations de saint Georges ».

– Ici à Doralakia, continua Spiro, nous avions la chèvre rieuse. Et les gens de Dalcrétie venaient de loin pour assister à notre Plus Long Après-Midi rien que pour entendre son rire.

– Et quel rire ! renchérit Nico. Un rire unique.

Il sourit tristement avant de poursuivre :

– Mais un jour…

– Un jour de lessive, intervint Spiro.

– Oui, un jour de lessive, confirma Nico. Tous les vêtements pendaient aux fils à linge tendus entre les tours.

Il tendit le doigt vers le ciel et Zoé vit les fils.

– La chèvre a vu le pantalon du maire, continua Nico.

– Son pantalon ? répéta Zoé.

– Oui, son pantalon, en train de sécher. Et elle est montée tout en haut de la maison-tour du maire.

– Pourquoi ? interrogea Zoé.

– Pour manger le pantalon, bien sûr, dit Nico. Quelle chèvre !

Sa voix était emplie d'admiration.

– Quoi qu'il en soit, arrivée en haut, elle s'est penchée pour attraper le bas du pantalon. Elle s'est penchée, penchée, penchée...

– À tel point que... soupira Spiro.

– Qu'elle est tombée, termina Nico en s'arrêtant brusquement.

Zoé faillit choir de ses épaules.

– Juste ici ! acheva-t-il en montrant du doigt le perron de la plus haute maison-tour de la ville.

– La maison du maire ? demanda Zoé.

Spiro et Nico acquiescèrent tristement.

– C'est terrible, souffla Zoé. Elle est morte ?

Nico hocha la tête.

– Mais il y a pire, ajouta Spiro.

– Quelqu'un frappait à la porte du maire au même moment. Une personne très importante. Un ami du maire et de tout Doralakia.

– Qui ? murmura Zoé, les yeux écarquillés.

Nico s'arrêta et Spiro aida la petite fille à descendre des épaules de son frère.

– L'auteur du guide que vous avez avec vous, lâcha Nico en montrant le livre à la reliure de cuir que Zoé portait sous son bras.

– Pas… ? commença Zoé.

Spiro et Nico firent une moue.

– Si. Hoffendinck.

– Mort ? susurra Zoé.

Spiro et Nico secouèrent la tête.

– Non, par la grâce de saint Georges, dit Spiro. La chèvre est tombée juste à côté.

– Sur son épouse, conclut Nico. Elle n'a pas été aussi chanceuse.

15
Thé à la maison-tour

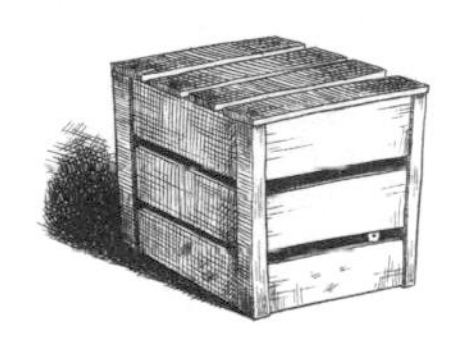

'ouvre les yeux. Je suis toujours prisonnière de l'arbre creux. Les jardins du palais, la petite fille, ce n'était qu'un rêve. Un rêve magnifique...

Je suis éveillée à présent et toujours prisonnière...

Mais... non, attendez, ce n'est plus pareil. La forêt semble différente...

Mon nez me chatouille... Je... je vais éternuer...

Nico s'approcha prudemment de la porte de la maison-tour du maire, il avança en crabe de façon à se retrouver le dos au mur de la maison.

– Personne ne se tient juste devant la porte, expliqua-t-il à Zoé dans un murmure. Enfin, pas depuis le terrible jour.

Zoé hocha la tête. Elle imaginait la scène. Nico tendit le bras et tira par trois fois une chaîne qui pendait à côté de la porte. Au-dessus de sa tête, Zoé entendit une cloche tinter faiblement.

– Les frères Mésapoliki ! Nico et Spiro ! s'exclama une voix. Vous m'avez amené de la visite, on dirait !

Zoé regarda autour d'elle et remarqua un petit tuyau de cuivre et d'argent finement ciselé qui sortait du mur. C'est de là que venait la voix.

– C'est le maire, chuchota Spiro. Il est toujours au courant de tout. Si un chat éternue à Doralakia, tu peux être sûre qu'il est au courant.

– Faites entrer cette jeune personne, et passez mon bonjour à cette chère Mama Mésapoliki, reprit la voix du maire.

Nico poussa la lourde porte.

– Le maire va t'aider, Zoé Zéphyr, dit-il. C'est un homme très sage.

Zoé entra. La lourde porte se referma derrière elle dans un craquement qui résonna dans l'escalier, et la tour se retrouva dans l'obscurité.

– Montez l'escalier, jeune visiteuse, lança le maire. Nous prendrons le thé sur le toit. C'est une tradition à Doralakia.

Zoé commença à grimper les marches. Ce qui lui prit beaucoup de temps, car la tour était très haute…

Les murs extérieurs avaient été fabriqués avec la pierre rose de la région mais à l'intérieur, l'escalier, les portes et les paliers étaient en bois. Un bois qui avait foncé avec le temps.

L'escalier formait une spirale anguleuse qui changeait de direction toutes les douze marches. Après avoir tourné six fois, Zoé était essoufflée. Après douze, elle commença à se sentir nerveuse à l'idée de l'espace derrière elle. Le courage de continuer lui venait du plafond qui ne cessait de se rapprocher. Après le dix-huitième tournant, elle passa sous une arche qui menait à un palier.

– Oh non ! s'écria-t-elle. Je croyais que j'étais arrivée.

Mais c'était loin d'être le cas. L'escalier continuait de monter. De temps en temps, Zoé regardait par l'une des étroites fenêtres. Les pavés de la rue devenaient de plus en plus petits.

Il y eut en tout six plateformes. Cent huit tournants. Mille deux cent quatre-vingt-seize marches.

Rouge comme une tomate, son *Guide Hoffendinck* serré dans la main droite, la boîte de conserve de l'Épicerie centenaire dans la main gauche, Zoé arriva enfin dans une grande pièce. Elle était richement ornée de tapis chatoyants et d'énormes coussins. Sur le plus gros des coussins, un vieil homme était assis. Il portait un bonnet rouge à pompon et Zoé n'avait jamais vu de barbe plus longue.

– Bienvenue, jeune visiteuse, l'accueillit le vieil homme.

Ses yeux pétillaient.

– C'est un long chemin jusqu'ici, mais ça vaut le déplacement, je vous le garantis. Je suis Constantin Pavel, le maire de Doralakia. Je suis ravi de vous recevoir chez moi.

– Merci, haleta Zoé en essayant de reprendre son souffle. Je m'appelle Zoé... Zoé Zéphyr.

– Suivez-moi, jeune Zoé, sourit le maire en se levant.

Il enroula sa barbe sur son bras pour ne pas marcher dessus. Il traversa la pièce et ouvrit la porte à double battant qui donnait sur une terrasse encore plus grande que celle de Mama Mésapoliki.

À un bout, un télescope avait été monté sur un support pivotant. À l'autre bout, Zoé vit une table ronde couverte d'une nappe et entourée d'énormes coussins. Le maire fit signe à Zoé de prendre place sur l'un des coussins. Zoé obéit et regarda par-dessus le parapet de la terrasse. La vue était sublime.

En dessous s'étendait la petite ville de Doralakia, avec ses extraordinaires maisons-tours baignées dans la lumière dorée du soleil couchant. Au nord, s'élevaient des collines, au pied desquelles s'étendaient des champs et des vergers. À l'est et à l'ouest, la côte proposait de grandes plages de sable, des rochers et des petites îles. La mer, immobile et d'un bleu turquoise éblouissant, s'étendait à l'horizon.

– Doralakia est superbe, n'est-ce pas ? dit Constantin.

– Oh oui, acquiesça Zoé. C'est la plus belle ville que j'aie jamais vue…

– Et pourtant, je vois à votre visage que vous n'êtes pas contente d'être ici, dit le maire.

– Ce n'est pas ça, répondit Zoé alors que les larmes lui montaient aux yeux. C'est juste que je suis là par accident. Je voyageais sur l'*Euphonia* avec ma famille et je suis montée dans une caisse…

– Dans une caisse ? s'étonna le maire.

– Oui, je ne voulais surtout pas que les clowns me trouvent…

– Les clowns ?

– Oui, ils ont emprisonné une créature dans une caisse et elle chantait une chanson triste.

– Une chanson triste ?

Le maire secoua la tête et se gratta la barbe.

– Je ne suis pas sûr de vous comprendre, mademoiselle Zéphyr.

– À vrai dire, ce n'est plus très important, à présent, dit Zoé. Ce qui est important, c'est que je me suis réveillée dans l'Épicerie centenaire et l'*Euphonia* s'éloignait de Doralakia avec mes frères, ma sœur et mes parents…

Les larmes de Zoé roulaient sur ses joues.

– Et Mama Mésapoliki a dit que l'*Euphonia* ne reviendrait pas avant un an ! gémit-elle. Mais elle a dit aussi que vous sauriez quoi faire et…

Constantin Pavel cessa de se gratter la barbe.

– Ce que Mama Mésapoliki a dit est vrai. L'*Euphonia* ne passe au large de Doralakia qu'une fois par an. Mais il n'y fait pas escale. Du moins, il n'y fait plus escale…

Le visage du maire s'assombrit et il resta silencieux un moment.

– Les fils de Mama Mésapoliki, Nico et Spiro, rejoignent l'*Euphonia* avec leur barque. Le capitaine se contente de ralentir les moteurs. Nico et Spiro montent à bord et chargent les caisses d'épicerie de Mama Mésapoliki.

Il sourit, prit la main de Zoé et la tapota amicalement.

– On dirait qu'ils vous ont chargée avec, dit-il. Mais ne pleurez pas, jeune fille. Constantin Pavel va vous ramener à vos parents, votre sœur et vos frères…

– C'est vrai ? s'exclama Zoé en s'essuyant les yeux.

– Oui, confirma le maire. Mais je dois avant tout savoir une chose.

– Oui ?

– Pourquoi êtes-vous déguisée en abeille ?

✦

– Comme je l'ai déjà dit à M. Times-Roman, dit le capitaine Belvédère d'une voix lugubre, il est hors de question de faire demi-tour. Lui et ses associés devront porter plainte auprès du bureau des plaintes du Port-du-Haut.

– C'est la faute d'Arthur, affirma le lieutenant Jon-Jolyon Lèchecœurcraque. Ce n'est quand même pas le travail du second de vérifier les étiquettes des caisses.

– Tout cela est bien dommage, soupira le capitaine Belvédère. Et juste au moment où mon bateau reprenait vie. Écoutez ce moteur. On le croirait neuf. Ah, ça me rappelle le premier voyage avec Boris Beiderbecker et la reine Rita…

– Capitaine, l'interrompit Jon-Jolyon, comme je vous en ai déjà informé, les clowns ont pris le canot de sauvetage et se sont enfuis cette nuit. Les Chapeaubas m'ont réveillé ce matin pour me le dire. Je n'ai rien compris à leurs marmonnements mais ils ont tout écrit sur un petit bout de papier. Ils avaient l'air absolument bouleversés…

– Tout cela est bien dommage, répéta le capitaine Belvédère, mais il m'est impossible de faire demi-tour !

À cet instant, la porte de la cabine s'ouvrit sur la famille Zéphyr au grand complet (moins Zoé évidemment).

– Les garçons, montrez au capitaine ce que vous avez trouvé ! dit Mme Zéphyr, les bras croisés sur sa poitrine.

Toby fit un pas en avant et brandit une boîte de conserve rouillée. Sur l'étiquette, on pouvait lire : *Pudding à la banane et à la crème de Mulholand*. Ernest, lui, montra une poignée de paille.

– C'était dans la cale, annoncèrent-ils solennellement.

La moustache du capitaine tressaillit.

– C'est juste un petit arrangement privé que j'ai avec l'épicerie de Doralakia, expliqua-t-il. Ça a dû tomber d'une des caisses que nous avons livrées. Je leur avais pourtant dit de faire attention…

– Et ça, ajouta Hubert, en tenant entre le pouce et l'index un crayon à papier auquel était noué un bout de ficelle, ça a été découvert près de la boîte de conserve.

Mme Zéphyr poussa un cri.

– Oh non ! Dites-moi que ce n'est pas vrai, s'étrangla-t-elle. Vous avez livré ma fille à cette épicerie de Doralakia. Ma pauvre petite chérie !

Séréna passa un bras autour des épaules de sa mère pour la réconforter. Jon-Jolyon s'approcha et passa un bras autour des épaules de Séréna.

– Chère madame, je suis désolé, commença le capitaine Belvédère, manifestement bouleversé. Je n'avais aucune idée de...

– Peu importe, capitaine, l'interrompit M. Zéphyr. Arthur et moi allons donner au moteur sa puissance maximale. J'ai besoin cependant que vous fassiez une chose pour moi...

– Tout ce que vous voulez, promit le capitaine Belvédère en posant les mains sur la barre à roue du bateau.

– Faites immédiatement faire demi-tour à l'*Euphonia*. Nous fonçons vers Doralakia.

✦

– Une autre tasse de verveine ? proposa Constantin à Zoé. Ou aimeriez-vous une cuillerée de ce délicieux mets que vous m'avez rapporté de l'Épicerie centenaire ?

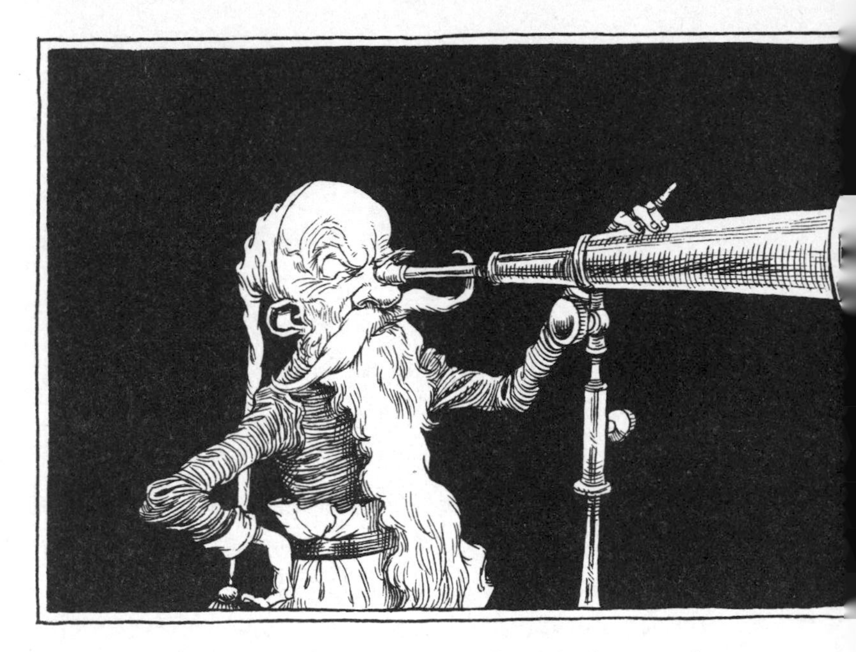

– Non, merci, refusa Zoé en plissant le nez devant le plat de macaronis au fromage à la sauce fromagère que le maire lui tendait.

– Ici, à Doralakia, expliqua Constantin, nous avons des olives, des concombres sucrés, du vin et du miel. Mais rien qui ressemble à ces choses extraordinaires mises en boîtes et vendues à l'épicerie. Chacune de ces boîtes recèle un délicieux secret qui ne demande qu'à être découvert, conclut-il en riant.

Zoé et le maire étaient assis autour de la table ronde. Une énorme lampe montée sur un haut pied de cuivre les éclairait. Sur la table étaient posés une théière, deux tasses à thé, la boîte de conserve et deux

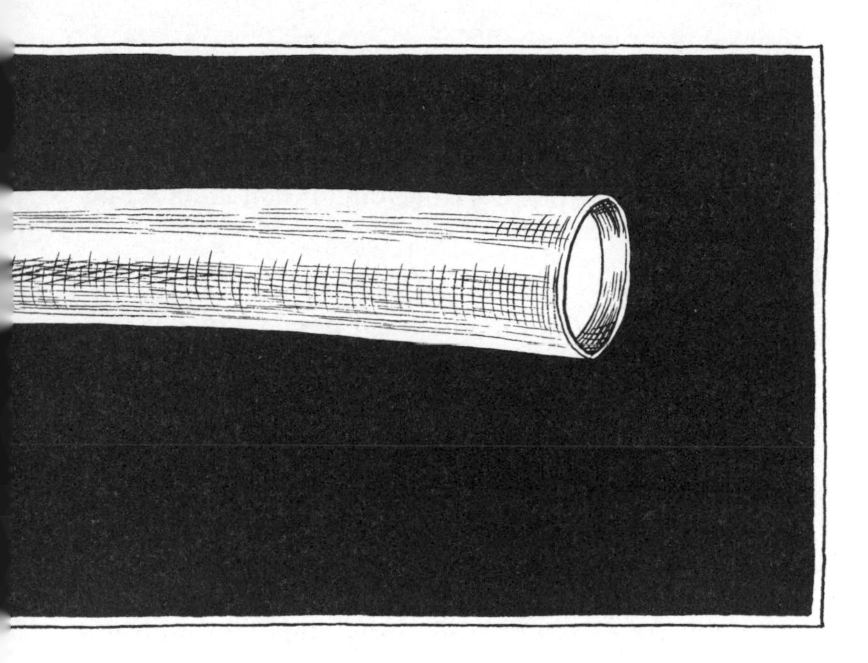

petites cuillers à long manche. Dans le ciel, la lune était pleine. En haut de chaque maison-tour de Doralakia, une lumière brillait ; on avait ainsi l'impression qu'une nouvelle constellation ouvrait le chemin jusqu'au port.

– Merci beaucoup pour ce dîner, Constantin, dit Zoé. J'ai passé un excellent moment. Mais je me demandais…

– Comment j'allais m'y prendre pour vous ramener à votre famille, compléta Constantin en se levant.

– Oui, acquiesça Zoé.

– Je vais vous montrer, dit le maire en enroulant sa longue barbe autour de son bras avant de se diriger vers le télescope.

Il monta sur le support pivotant et dirigea le télescope vers la mer. Il colla l'œil à l'extrémité du télescope et tourna différentes manivelles jusqu'à ce que la netteté soit faite sur l'horizon. Puis il demanda à Zoé de venir voir.

Zoé mit à son tour l'œil au télescope.

Sur la mer miroitante, un magnifique paquebot fendait les flots, accompagné par des bancs de poissons d'amour. Zoé se remémora le poster délavé qui représentait l'*Euphonia* aux beaux jours.

– Le *Reine Rita II*, annonça Constantin. Beaucoup trop grand pour faire escale dans l'un ou l'autre des nombreux ports de la côte dalcrétienne. Il navigue sur les sept mers et emmène les gens dans des endroits lointains et fabuleux. Mais il nous fait l'honneur de ralentir afin que les passagers puissent profiter des lumières de Fedrun, Mésapoli, Lissari et Doralakia et de l'aube sur les maisons-tours de ma petite ville.

– Il est magnifique, souffla Zoé, qui ne parvenait plus à détacher les yeux du paquebot.

– Vous trouvez ? soupira Constantin, une pointe de tristesse dans la voix. Personnellement, je préfère mille fois l'*Euphonia*.

Il sembla perdu dans ses pensées pendant un moment, puis se reprit.

– Demain, aux premières heures, Nico et Spiro vous amèneront à bord du *Reine Rita II*, je vous donnerai trente couronnes dalcrétiennes pour que vous

choisissiez une des plus belles cabines et vous, ma chère Zoé, vous arriverez au Port-du-Haut une journée avant votre famille. Pensez comme ils seront surpris !

Le maire frappa dans ses mains.

– Mais comment est-ce que je vous rembourserai ? s'inquiéta Zoé.

– Vous me rembourserez en gardant un bon souvenir de Doralakia et…

Il prit la main de Zoé et l'aida à descendre du support du télescope.

– … et en revenant nous rendre une petite visite.

Tout à coup, la cloche sonna.

– Pardonnez-moi, s'excusa Constantin en se dirigeant vers un tube de cuivre et d'argent (exactement semblable à celui installé près de la porte d'entrée).

Le maire mit le tube devant sa bouche.

– Allô ?

Deux voix graves emplirent la terrasse. Zoé reconnut aussitôt Nico et Spiro. Ils criaient, s'interrompaient mutuellement et se disputaient dans leur propre langue.

– D'accord, d'accord, dit Constantin avant de se tourner vers Zoé, stupéfait. Un événement étrange vient de se produire, déclara-t-il. Nico et Spiro affirment que leur mère vient de découvrir une soulopol dans la réserve de l'Épicerie centenaire. Et cette fois, ce n'est pas une petite fille déguisée en abeille…

Zoé écarquilla les yeux.

– Ah bon ?

– Venez vite, la pressa Constantin. Cette fois, la soulopol semble réelle !

16
La soulopol

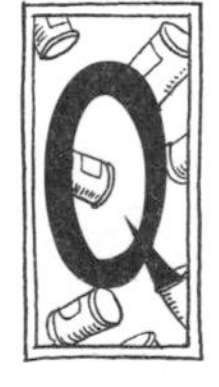

uelqu'un est venu mais ce n'est pas la petite fille. C'est une vieille femme avec une tête toute noire. J'ai peur. Dans quelle partie de la forêt suis-je ? Ça sent bizarre et mon nez me chatouille !

Je... vais... ét... éternuer...

Atchiou ! Atchiou !

Les éternuements venaient de la réserve de l'Épicerie centenaire. À chaque nouvel *atchiou*, l'assemblée de Doralakiens en chemise de nuit ou pyjama reculait d'un pas et ils se parlaient dans un langage que Zoé ne comprenait pas.

– Les gens de Doralakia se couchent tôt, expliqua Constantin alors que Zoé et lui descendaient en courant la petite rue pavée qui menait à l'épicerie.

Doralakia est devenue une petite ville un peu triste depuis que la chèvre rieuse…

La voix du maire s'éteignit quand ils s'approchèrent de la foule. Nico et Spiro, tous deux vêtus de chemises de nuit identiques et rapiécées, se tenaient devant les Doralakiens. Les pompons de leurs bonnets tressautaient alors qu'ils débattaient. Spiro brandissait une large poêle au-dessus de sa tête et Nico empoignait un lourd rouleau à pâtisserie. Entre eux, Mama Mésapoliki piaillait de sa voix aiguë et agitait son balai comme pour ponctuer chacune de ses phrases.

– Mama dit que la soulopol était dans une des caisses qui viennent du bateau, expliqua Nico.

– Elle dit que la soulopol a suivi la petite abeille jusque dans son épicerie, continua Spiro. Elle dit que ce n'est pas bien de porter des ailes et un costume à rayures parce que les soulopols pensent que vous vous moquez d'elles.

Tous les regards se tournèrent vers Zoé, dont les joues devinrent subitement écarlates.

Atchiououou !

La foule poussa un cri et recula d'un nouveau pas. Mama Mésapoliki leva plus haut son balai et marmonna dans sa barbe.

– Mama dit que la soulopol est en colère ! lancèrent Nico et Spiro en chœur.

Soudain, un énorme craquement retentit et une cascade de boîtes de conserve dégringola par la porte à demi ouverte de la réserve de l'épicerie et se déversa dans la rue pavée.

– La pyramide de boîtes de Mama ! s'écrièrent Nico et Spiro.

Constantin secoua la tête.

– D'abord la chèvre rieuse et maintenant une épicerie hantée. Pauvre Doralakia. Qui voudra visiter notre ville à présent que nous avons une soulopol ?

Zoé tapa du pied.

– C'est absurde ! s'écria-t-elle. Je ne suis qu'une petite fille déguisée en abeille mais je sais qu'il n'y a pas de soulopol dans cette épicerie.

– Ah bon ? s'étonna Constantin.

– Bien sûr que non, confirma Zoé. Et je vais vous le prouver !

Elle fendit la foule et monta d'un pas assuré les trois marches qui menaient à l'Épicerie centenaire.

– Tu veux ma poêle à frire ? lui demanda Nico.

MÉSAPOLIKI es FIOS.

– Ou mon rouleau à pâtisserie ? lui proposa Spiro.

Mama Mésapoliki tendit son balai.

– Abeille ? offrit-elle gentiment.

Zoé secoua la tête et regarda la boîte de conserve qu'elle avait ramassée.

– Non merci, répondit-elle, mais il y a une chose dont j'ai besoin.

– Quoi ? voulut savoir Constantin en balançant sa barbe par-dessus son épaule. Une épée ? Une arme à feu ? Une formule magique ?

– Non, dit Zoé. Un ouvre-boîte.

17
Les cubes d'ananas centenaires

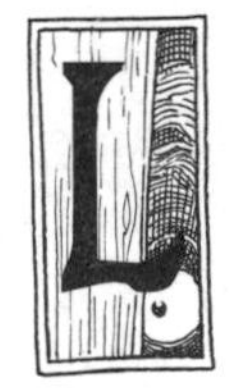

es rochers ont cessé de rouler et la poussière ne vole plus, mais je suis toujours prisonnière dans cet arbre creux. J'ai beau taper, pousser contre le tronc, ça ne change rien ! Mais... quelqu'un arrive !

Zoé ouvrit la porte et entra dans l'épicerie. Le sol était couvert de boîtes de conserve et, sur le comptoir, il ne restait que deux éléments de la pyramide de Mama Mésapoliki. La pile de caisses de l'*Euphonia* s'était effondrée sur la balance qui, du coup, avait pris une drôle de forme. Apparemment, la caisse du dessous s'était déplacée et avait fait tomber les autres. Un gros œil triste apparaissait dans un interstice.

Zoé ouvrit le *Guide Hoffendinck* à la page sur laquelle elle avait collé l'étiquette.

Tout était sa faute : si elle avait laissé l'étiquette sur la caisse, jamais Nico et Spiro ne l'auraient chargée avec celles pour l'épicerie de Mama Mésapoliki. Elle relut l'étiquette.

– M. Times-Roman, murmura-t-elle.

Finalement, c'était peut-être aussi bien que cette caisse ne soit plus à bord de l'*Euphonia*.

Zoé approcha silencieusement, la boîte de cubes d'ananas au sirop de l'île Bonheur dans une main et le couteau muni d'un ouvre-boîte de Constantin dans l'autre. L'œil la fixait.

Elle se pencha, ouvrit la boîte et prit un cube d'ananas brillant entre ses doigts. Elle le fit passer entre les planches de la caisse. Elle entendit un reniflement et un bruit de déglutition.

– Là, là, murmura Zoé d'une voix apaisante. Pauvre créature. Il est grand temps que quelqu'un te sorte de cette boîte ! Qui que tu sois.

Et ce quelqu'un, comprit Zoé, en prenant une longue inspiration, ce devait être elle.

Elle regarda le couteau de Constantin puis les planches de la caisse. Elles avaient été clouées à

intervalles réguliers comme les barreaux d'une prison. Avec le couteau, Zoé pouvait enlever les clous un à un et libérer la créature. Ça prendrait du temps, mais après tout, il restait encore beaucoup de cubes d'ananas.

– Mama demande pourquoi Zoé est si longue... murmura Nico au maire. Est-ce que la soulopol lui a jeté un sort ?

Ils étaient tous assis sur les marches de l'Épicerie centenaire : Nico, Spiro, Mama Mésapoliki, Constantin Pavel, Yanni Fulda, l'horloger de Doralakia, sa très jolie fille, Lara, qui vivait dans une maison-tour près de l'épicerie et les quelques Doralakiens qui n'étaient pas repartis se coucher. La lune était bas dans le ciel et l'aube rosissait la cime des montagnes.

– Pour la centième fois, dit Constantin Pavel, je vous répète que Zoé était sûre qu'il ne s'agissait pas d'une soulopol. Et elle nous a aussi demandé d'être très silencieux.

– C'était il y a deux heures, protesta Spiro. Et si elle ne sort pas de l'épicerie de Mama, elle va rater le bateau.

Il tendit le doigt vers le port où venait d'apparaître à l'horizon la silhouette du *Reine Rita II*.

Lara, la fille de l'horloger, poussa un petit soupir.

– Le grand bateau, murmura-t-elle.

C'est à cet instant que Zoé passa la tête dans l'entrebâillement de la porte. Elle avait les traits tirés et de la paille dans les cheveux.

– Chut, dit-elle. Vous allez lui faire peur. J'ai réussi à la calmer.

– La soulopol ? demanda Nico.

Constantin leva les yeux au ciel.

– Venez voir par vous-mêmes, les invita Zoé. Mais surtout, restez très silencieux. La pauvre créature a été enfermée dans cette horrible caisse pendant des jours et des jours, et elle est terriblement effrayée.

Nico et Spiro se penchèrent pour parler à l'oreille de leur mère. Puis tout le monde suivit Zoé à l'intérieur. Constantin ferma la porte derrière lui.

– Magnifique ! s'émerveilla Nico.

– Étonnant ! murmura Spiro. Mama dit qu'elle n'a jamais rien vu de semblable et pourtant, elle est née à Mésapoli.

– Superbe ! souffla Lara, la fille de l'horloger.

– Si je ne l'avais pas vue de mes propres yeux, je n'y aurais jamais cru, ajouta son père.

– Doralakia est bénie d'avoir une telle créature ! s'enthousiasma Constantin Pavel. La chèvre rieuse était extraordinaire, mais ce… cette…

Il joignit les mains et ses yeux s'emplirent de larmes.

– Voilà qui va ramener Doralakia sur la carte ! termina-t-il. Nous allons en prendre grand soin, Zoé Zéphyr, je vous le promets.

– Jusqu'à ce que je retrouve mon père au Port-du-Haut, acquiesça Zoé. Lui saura quoi faire.

– À ce propos, dit le maire, vous devez vous dépêcher, Zoé, si vous ne voulez pas rater le *Reine Rita II*.

Ils quittèrent l'Épicerie centenaire sur la pointe des pieds.

Derrière eux, dans un nid de paille, la créature poussa un soupir de contentement.

18
Une chanson infiniment douce

'est si agréable d'être allongée dans le foin frais. La petite fille m'a libérée de l'arbre creux. D'autres gens sont venus aussi. J'ai chanté et ils ont souri. Ils ont ri aussi et ils m'ont caressée.

À présent, le soleil est levé. Je suis si heureuse que j'ai l'impression que mon cœur va exploser. Je dois chanter à nouveau. En chantant, je peux laisser libre cours à ma joie et mon cœur n'explosera pas.

Zoé monta dans le petit bateau de Nico et Spiro. Il avait un vieux moteur déglingué, une coque bleu ciel et un œil avait été peint sur la proue.

– C'est pour qu'il puisse voir où il va ! expliqua Nico à Zoé en s'assurant qu'elle était bien installée sur le banc avant de démarrer.

Le moteur commença par crachoter et se mit à vrombir.

– Au revoir, Zoé Zéphyr, la salua Constantin Pavel en agitant son mouchoir. Que saint Georges vous protège. J'aurais aimé que vous restiez aujourd'hui pour le Plus Long Après-Midi de Doralakia. Les gens vont pouvoir admirer la magnifique créature que vous nous avez confiée.

– Au revoir Constantin, répondit Zoé. Au revoir Mama Mésapoliki. Au revoir Doralakia. Je suis désolée de ne pas pouvoir rester pour le Plus Long Après-Midi...

Le bateau bleu sortit du port à une vitesse étonnante. Zoé fit signe aux silhouettes qui rétrécissaient rapidement sur le quai. Les maisons-tours brillaient dans le soleil du matin comme des stalagmites dorées.

La gorge de Zoé se serra. Elle regarda le petit sac de cuir que Constantin lui avait donné. Il contenait trente couronnes dalcrétiennes.

Quinze minutes plus tard, l'énorme masse du *Reine Rita II* était assez proche pour que Zoé distingue ses ponts décorés de banderoles, de ballons et de guirlandes étincelantes.

Apparemment, la cérémonie du « On-y-est-presque » avait été plus amusante que sur l'*Euphonia*, songea Zoé.

Cela lui paraissait si loin, les jeux, la bataille de sandwichs, Séréna et Arthur, Séréna et Jon-Jolyon, la sinistre Confrérie des clowns…

Zoé frissonna.

– Tu as froid, Zoé Abeille ? lui demanda Nico. On est presque arrivés, mais tu peux prendre ma veste si tu veux. Elle est en cuir de chèvre…

– Non merci, refusa Zoé en lui souriant.

C'est à ce moment qu'elle le vit. Derrière l'épaule droite de Nico, un canot de sauvetage blanc.

Il approchait lentement d'une plage déserte. Quatre silhouettes sautèrent dans les vagues et tirèrent le bateau sur le sable pendant qu'une cinquième agitait les bras, puis les jambes, et finit par tomber par-dessus bord.

Le canot parut curieusement familier à Zoé, mais ce n'est pas ça qui attira son attention et lui glaça le sang… Les cinq silhouettes étaient coiffées de chapeaux melon vert bouteille !

– Pour la dernière fois, Lara, gronda Yanni Fulda, l'horloger de Doralakia. Viens et cesse de regarder ce paquebot !

– Mais Papa… protesta Lara. Tu ne comprends pas !

Près d'eux, le maire s'essuya les yeux et se moucha bruyamment dans le mouchoir qu'il agitait un instant plus tôt. Il tourna le dos au port et s'apprêtait à remonter la petite rue pavée jusqu'à sa maison-tour, quand un son extraordinaire s'éleva dans l'air matinal.

C'était un chant doux et rythmé comme celui d'un oiseau saluant l'aube, ou d'une baleine appelant ses petits. Ça venait de l'Épicerie centenaire. C'était la plus douce chanson que Constantin ait jamais entendue de sa vie. Dans toute la ville, les Doralakiens ouvraient leurs volets et passaient la tête dehors.

Constantin éclata de rire et prit la direction de l'épicerie. En chemin, il salua tout le monde :

– Aujourd'hui, gens de Doralakia, a lieu le Plus Long Après-Midi. Prévenez vos voisins et amis, ce sera le Plus Long Après-Midi que vous ayez jamais vécu !

– Que veux-tu dire par « faire demi-tour », Zoé Abeille ? demanda Spiro, les yeux écarquillés de surprise.

– Nous sommes presque arrivés au gros bateau, protesta Nico.

– Je sais, je sais, dit Zoé en s'agrippant plus que jamais à son *Guide Hoffendinck*. Mais la Confrérie des clowns est là ! Nous devons avertir le maire !

– Et ta famille ? dit Spiro.

– Ta mère, ton père, tes frères, ta sœur ? ajouta Nico.

– Je sais, je sais, admit Zoé en retenant les larmes qui lui montaient aux yeux.

C'était la décision la plus difficile qu'elle avait jamais eue à prendre de sa vie, mais elle savait qu'elle ne pouvait monter à bord du *Reine Rita II* tout en sachant la Confrérie des clowns près de Doralakia.

– Faites demi-tour, sanglota-t-elle. Faites demi-tour.

Spiro secoua la tête et Nico murmura dans un langage que Zoé ne comprenait pas, mais ils firent faire demi-tour au bateau.

Le paquebot resplendissait derrière eux et ils retournaient vers Doralakia.

C'est à ce moment que ça se produisit.

Le vieux moteur toussota, crachouilla, siffla et s'arrêta.

– On fait quoi maintenant ? demanda Zoé en essayant de paraître plus calme qu'elle n'était en réalité.

Nico et Spiro prirent les rames qui étaient posées au fond du bateau.

– Eh bien… commença Nico.

– … nous allons ramer, ajouta Spiro.

– Ça va juste prendre un peu plus de temps, termina Nico.

19
Le Plus Long Après-Midi

n m'a baignée, ma peau a été huilée. On m'a passé autour du cou des guirlandes de fleurs parfumées. C'est presque comme si j'étais de retour dans les jardins du palais, en mieux...

Mais qu'est-ce que c'est que ça ? Un pétale sucré ! D'où vient-il ?

Il est bon... Tiens, il y en a un autre... et un autre...

Mmmm !

Doralakia était magnifique. Toute la matinée, ses habitants avaient travaillé avec ardeur à fabriquer les guirlandes de fleurs et les banderoles multicolores qui ornaient à présent chaque maison-tour.

Ils avaient accroché des lanternes en papier entre les maisons et dressé de grandes tables sur le port. Des mets délicieux commençaient à recouvrir ces tables :

des saucisses épicées, des olives juteuses, des piles de crêpes au miel et des concombres sucrés. Des pains plats tout juste sortis du four embaumaient l'air de leur appétissante odeur. Et il y avait aussi des flans à la crème appelés espadoriots, pâtisserie typique de Doralakia.

À la place d'honneur, la table installée devant l'Épicerie centenaire sur laquelle Mama Mésapoliki avait exposé ses plus précieuses boîtes de conserve : *Prunes farcies d'Amberside*, *Hachis de bœuf aux oignons de Bob Tartan* et la sublime boîte carrée et rouillée avec deux clés : *Sardines sur toasts beurrés Archiduc Ferdinand avec toasts en supplément*.

La façade de l'épicerie avait été parée de guirlandes de fleurs des montagnes et une rampe de bois ornée de velours rouge avait été installée près des marches du perron. Devant, le groupe folklorique de Doralakia jouait une musique entraînante sur leurs baloukis à dix-huit cordes – gros instruments de cuivre en même temps à cordes frottées et à vent. Les musiciens étaient tous coiffés de bonnets rouges à pompons.

Partout, les gens parlaient, chantaient, dansaient, applaudissaient, riaient et se saluaient gaiement. Il ne s'agissait pas seulement de doralakiens car la nouvelle du Plus Long Après-Midi de Doralakia s'était répandue comme une traînée de poudre sur la côte dalcrétienne. Toute la matinée, des groupes étaient arrivés de Fedrun, Lissari et même Mésapoli, apportant leur contribution aux festivités. Les pêcheurs de Fedrun, coiffés de hauts chapeaux coniques, s'étaient chargés de grandes jarres de miel, les femmes de Lissari, avec leurs turbans chamarrés, portaient des bannières de tissu typique et un groupe de cinq vieilles femmes de Mésapoli, habillées de grandes robes et turbans noirs, transportaient un énorme tapis roulé.

Elles semblaient de très mauvaise humeur et, du coup, personne ne leur prêta beaucoup d'attention.

Les rues et les maisons-tours de Doralakia bourdonnaient de bavardages et de rumeurs à propos de l'extraordinaire créature de l'épicerie. Certains affirmaient qu'il s'agissait d'un ours qui éternuait, d'autres que c'était un chien capable de réciter de la poésie alors que d'autres encore étaient convaincus qu'une chèvre rieuse était réapparue à Doralakia.

Quoi qu'il en soit, une chose était certaine : ni le maire, Pavel Constantin, ni Mama Mésapoliki ne prononçaient un mot sur le sujet. Pas plus d'ailleurs que l'horloger ou sa très jolie fille, Lara. Quant à Nico et

Spiro Mésapoliki, personne ne les avait vus depuis qu'ils étaient partis emmener la petite fille en costume d'abeille au grand bateau.

– Attendez midi ! répétait le maire en riant et en caressant sa longue barbe. Et vous verrez, ajoutait-il, vous ne serez pas déçus !

C'est tout ce que les curieux parvenaient à tirer de lui.

✦

Le soleil était haut dans le ciel quand le petit bateau bleu atteignit une plage. Spiro et Nico avaient ramé de toutes leurs forces, mais le puissant courant dalcrétien n'avait cessé de les pousser loin de la côte.

– Enfin ! souffla Spiro en tirant l'embarcation sur les galets. Nous irons beaucoup plus vite à pied.

– Oui, acquiesça Nico. Nous allons voyager à la manière des chèvres.

Il s'accroupit pour que Zoé monte sur ses épaules.

– Nous allons couper à travers les montagnes doralakiennes.

Et en effet, les deux hommes sautaient de rocher en rocher. Zoé regarda derrière elle. Nico avait raison, ils avançaient très vite. Déjà la plage était loin derrière eux et, dans quelques instants, ils seraient en haut de la montagne.

Les bêlements des chèvres résonnaient autour d'eux et, au loin, Zoé aperçut les maisons-tours de Doralakia.

Nico et Spiro descendaient les montagnes en courant – ils avaient le pied aussi sûr que les chèvres – et les remontaient de la même manière. Une demi-heure plus tard, Zoé distingua les rues de Doralakia, le petit port et les banderoles accrochées pour le Plus Long Après-Midi.

– On est bientôt arrivés, pantela Spiro.

– Bientôt, haleta Nico.

– Attention ! cria Zoé.

Là, au milieu d'un chemin rocailleux, cinq vieilles femmes étaient assises, uniquement vêtues de sous-vêtements jaunis. Elles avaient les mains attachées dans le dos.

– Tatas ! s'écrièrent Nico et Spiro. Qu'est-ce que vous faites là ? Où sont vos grandes robes et vos turbans noirs ?

✦

Il était maintenant midi et la foule, assemblée dans le petit port, avait peine à contenir son excitation. Le maire Pavel leva la main et le groupe de musique folklorique entama une superbe interprétation très personnelle des « Lamentations de saint Georges ». Dès qu'ils eurent fini, Mama Mésapoliki ouvrit la porte de l'Épicerie centenaire.

L'assemblée attendit…

Et attendit…

Et attendit…

Une rumeur parcourut la foule. Où était l'étonnante créature ? Le maire Pavel et Mama Mésapoliki échangèrent un regard perplexe et s'engouffrèrent dans l'épicerie. Un moment plus tard, ils sortirent :

– Mama Mésapoliki dit que la porte de derrière est grande ouverte ! s'étrangla le maire. Et la créature a disparu !

Au même moment, des cris indignés se firent entendre : cinq vieilles femmes en sous-vêtements descendaient en courant la petite rue pavée qui menait au port. Spiro, Nico, Zoé sur ses épaules, les suivaient.

– Les sœurs de Mama Mésapoliki ! cria Nico. Elles disent que cinq hommes avec des chapeaux couleur bouteille leur ont volé leurs vêtements et leur plus beau tapis de pique-nique !

– Regardez ! hurla Zoé. Là-bas !

La foule se tourna comme un seul homme. Sur le quai, les cinq vieilles femmes de mauvaise humeur essayaient de s'échapper. Elles portaient toujours leur tapis roulé. La foule regarda de nouveau les vieilles femmes en sous-vêtements qui entouraient à présent Mama Mésapoliki et agitaient leurs bras comme des moulins à vent, puis encore une fois les vieilles femmes en noir du port. Les murmures interrogatifs s'intensifiaient.

– Ne restez pas là sans bouger ! s'emporta Zoé, alors que Nico et Spiro essayaient de se frayer un passage à

travers la foule. Faites quelque chose ! Que quelqu'un fasse quelque chose !

Alors que la dernière vieille femme en noir disparaissait au coin de la rue, la foule réagit enfin. Tout le monde se lança à la poursuite des femmes en criant. La foule remonta la rue des Chapeliers, descendit l'allée de la Chèvre-Rieuse, aux trousses des femmes qui étaient étonnamment alertes pour leur âge. Mais arrivé sur la place de la Pompe-à-Eau, après l'avenue des Fabricants-de-Pompons-à-Bonnet, tout le monde s'arrêta.

Toujours juchée sur les épaules de Nico, Zoé jeta un regard désespéré autour d'elle. Où étaient-elles parties ? Elle n'en avait pas la moindre idée. Pas plus que la foule qui se grattait la tête.

À cet instant, de la plus haute maison-tour de Doralakia, une voix familière poussa un cri.

– Le maire ! s'exclama Spiro. Il dit qu'elles sont parties par là.

– Elles sont retournées vers le port, ajouta Nico, tout excité.

La foule repartit en courant dans l'autre sens, et bientôt les vieilles femmes furent à nouveau en vue. Quatre d'entre elles portaient le tapis et la cinquième essayait de désamarrer un petit bateau de pêche.

– Arrêtez-les ! s'égosilla Zoé. Elles essaient de s'enfuir !

Alors que la foule s'approchait, une des vieilles dames glissa et tomba sur une autre qui glissa à son tour sur une autre, qui glissa et tomba sur la suivante.

Les quatre femmes se retrouvèrent par terre, les quatre fers en l'air.

Dans la foule, quelqu'un pouffa. Puis quelqu'un d'autre et, tout à coup, le port retentit d'un énorme éclat de rire.

La cinquième vieille femme se retourna et enleva son turban.

– Monsieur Times-Roman ! s'écria Zoé.

– Personne ne rit de la Confrérie des clowns, rugit M. Times-Roman en levant le poing. Et maintenant, vous allez v…

Un espadoriot à la crème atterrit au beau milieu de son visage et lui coupa le sifflet.

– Ooooh ! s'indigna la deuxième vieille dame, enlevant à son tour son turban.

Splatch !

M. Franklin-Gothic reçut un superbe flan à la crème en plein visage et la foule rit de plus belle.

Splatch ! Splatch ! Splatch !

M. Bembo, M. Palatino et M. Garamond eurent droit eux aussi à l'entartage. Ils trébuchèrent sur le tapis roulé et tombèrent dans le port, entraînant Times-Roman et Franklin-Gothic dans leur chute.

La foule applaudit à tout rompre. Quatre garçons sortirent de derrière une table où étaient empilés des espadoriots et saluèrent.

– Cédric ! Hubert ! Ernest ! Toby ! s'exclama joyeusement Zoé alors que Nico l'aidait à descendre de ses épaules.

– Ces méchants clowns, lança Spiro à ses côtés.

– Aidons-les à sortir de l'eau, proposa Nico. Mama a deux mots à leur dire.

– Salut p'tite sœur, dit Ernest en serrant Zoé dans ses bras. On s'est dit que t'aurais peut-être besoin d'un coup de main.

– Et on a bien joué ! rit Ernest.

– Super bien joué ! confirma Hubert.

– Aussi net qu'une chemise de Gibbons un jour de lessive ! ajouta Cédric.

Et tous prirent tour à tour Zoé dans leurs bras.

– Et Papa et Maman ? demanda-t-elle.

– Ils sont juste là, répondit Toby en tendant le doigt vers la mer. Papa a accepté qu'on vienne en éclaireurs avec un des canots de sauvetage qu'il a modifiés. Ils sont géniaux maintenant !

Une corne de brume retentit et, autour de Zoé et ses frères, la foule poussa de grands cris de joie. Là, dans le port de Doralakia, pour la première fois depuis très, très, très longtemps, chacun pouvait admirer l'*Euphonia* !

20
M. Hoffendinck

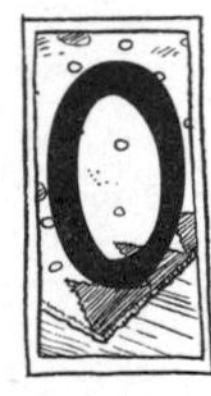

ù suis-je ? Il fait noir...

J'entends des rires... des applaudissements... des cris de joie...

L'*Euphonia* accosta et une passerelle s'abaissa doucement, dans un ronronnement mécanique et régulier. La foule applaudit et le groupe folklorique commença à jouer « Les Lamentations de saint Georges ». C'était le seul air qu'ils connaissaient.

M. et Mme Zéphyr firent signe à la foule. Séréna et le lieutenant Jon-Jolyon Lèchecœurcraque, plus mielleux que jamais, les suivaient.

– Ma chérie ! s'écria Mme Zéphyr en courant vers sa plus jeune fille. Nous étions si inquiets !

M. Zéphyr ôta ses lunettes ; il semblait avoir quelque chose dans l'œil.

– Ma fille ! dit-il.

Et il s'agenouilla pour la prendre dans ses bras.

– Papa ! dit Zoé. J'ai essayé de te prévenir pour la créature, mais...

– Jonny !

Un cri perçant avait interrompu Zoé. Lara, la fille de l'horloger, se fraya un chemin dans la foule.

– Jon-Jonny, c'est toi ! Du grand bateau !

Elle entoura le lieutenant de ses bras et l'écrasa sur sa poitrine.

Jon-Jolyon n'avait pas l'air très à l'aise.

– Ah, Séréna, dit-il d'une voix aussi enjôleuse que possible en se dégageant, laissez-moi vous présenter Lara Fulda. J'ai rencontré son père il y a quelques années quand j'étais... euh... quatrième mécano sur le *Reine Rita*...

– Le grand bateau ! s'exclama Lara. Mais Jon-Jonny, pourquoi tu n'es jamais revenu ? Et pourquoi tu ne me prends pas dans tes bras ? Tu disais que tu m'aimais... Jon-Jonny ?

– S'il vous plaît, Séréna, bafouilla le lieutenant en essayant de repousser Lara. Laissez-moi vous expliquer...

Plaf!

Séréna le gifla puis sourit à Zoé avant de la serrer dans ses bras.

– S'il vous plaît, Lara, bredouilla Jon-Jolyon. Laissez-moi…

Plaf!

Puis Lara tourna les talons et marcha à grands pas vers la maison de son père.

Arthur apparut en haut de la passerelle. Il avait un bras autour des épaules de l'homme de la cabine 21. Il essayait de le convaincre de descendre. Sans grand succès.

– Allez, Papa, disait-il. Il y a trop longtemps que tu n'as pas mis les pieds sur la terre ferme…

– Papa ? s'étonna Séréna en tournant la tête vers la passerelle. J'ignorais que vous étiez le père d'Arthur…

– Eh oui, répondit Arthur d'une voix un peu triste. Mon père est la raison pour laquelle je ne peux pas quitter l'*Euphonia*.

Séréna sourit au père d'Arthur.

– Venez, lui dit-elle doucement. Prenez ma main, tout va bien se passer.

L'homme de la cabine 21, tremblant, posa un pied sur la passerelle.

– Voilà, l'encouragea Séréna. Vous allez y arriver.

À pas lents et maladroits, l'homme de la cabine 21 commença à descendre la passerelle. Arrivé sur le quai, il s'arrêta.

– Mon vieil ami ! s'exclama le maire Constantin Pavel en courant vers l'homme de la cabine 21 et en se jetant à ses genoux. Comment pourrez-vous un jour me pardonner la terrible perte que vous avez subie ?

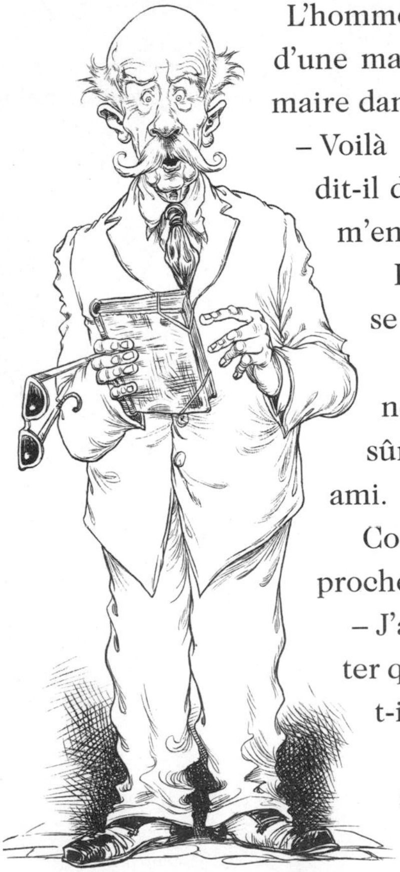

L'homme ôta ses lunettes de soleil d'une main tremblotante et regarda le maire dans les yeux.

– Voilà trop longtemps, Constantin, dit-il d'une voix chevrotante, que je m'enferme dans mes souvenirs.

Il regarda Arthur et Séréna qui se tenaient les mains.

– Le temps est venu de tourner la page, poursuivit-il. Bien sûr que je te pardonne, mon vieil ami.

Constantin fit signe à Zoé de s'approcher.

– J'aimerais beaucoup te présenter quelqu'un, Zoé Zéphyr, déclara-t-il. Voilà M. Hoffendinck.

Le visage stupéfait de Zoé amena un sourire sur le visage du maire.

– Je suis ravi de te rencontrer, Zoé Zéphyr, dit M. Hoffendinck. Vraiment ravi.

Zoé resta sans voix. Puis elle sortit son guide.

– J'ai lu chaque mot, souffla-t-elle.

M. et Mme Chapeaubas apparurent en compagnie du capitaine Belvédère, qui, pour une fois, ne faisait pas la tête. Il avait même l'œil pétillant et un pas primesautier.

– Ah, te voilà, petite ! s'écria-t-il en tortillant les extrémités de sa moustache. M. et Mme Chapeaubas sont pleins d'admiration pour ton courage et ta vivacité d'esprit.

– Ah bon ? demanda Zoé, étonnée.

– Whiffflll, whifflll, acquiesça Mme Chapeaubas.

– Mmmmm mmmm, ajouta M. Chapeaubas.

– Tu vois ! s'écria joyeusement le capitaine. M. et Mme Chapeaubas sont des détectives célèbres dans le monde entier. Spécialisés dans les crimes de clowns, ils sont sur la trace de la Confrérie des clowns depuis des mois.

– Vous comprenez vraiment ce qu'ils disent ? lança Zoé, épatée.

– Mais bien sûr ! rétorqua le capitaine. Je les comprends parfaitement !

Et il émit un petit rire. C'était la première fois que Zoé l'entendait rire.

– Ils ont entendu parler du vol d'un bien appartenant à la bégum de Dandon. Un bien dérobé au palais.

Ils ont immédiatement reconnu le style de la Confrérie des clowns. Ils avaient prévu de les confondre une fois que nous serions arrivés au Port-du-Haut, mais c'était avant que ces criminels tombent sur toi, Zoé !

– Mmmmmm, confirma M. Chapeaubas en hochant son chapeau conique.

– Précisément, opina le capitaine en riant à nouveau. Voilà qui est tout à fait vrai, Chapeaubas, mon vieil ami ! Et toi, ma petite fille, tu les as pris la main dans le sac. Connaissant la bégum, je ne serais pas surpris qu'une substantielle récompense soit prévue !

Mais Zoé n'écoutait plus. Elle avait entendu un bruit. Comme le chant d'un loup à la lune ou celui d'un oiseau solitaire appelant ses congénères… Ça venait de l'énorme tapis roulé sur le quai.

Zoé s'en approcha, suivie de M. Hoffendinck, de ses parents, de ses frères, du capitaine Belvédère, des

Chapeaubas, d'Arthur et Séréna, du lieutenant Jon-Jolyon Lèchecœurcraque (qui frottait ses deux joues rouges), Mama Mésapoliki, Nico et Spiro, et leurs tantes qui maintenaient les cinq clowns trempés jusqu'aux os.

– Écoutez tous ! clama le maire Constantin Pavel. Le Plus Long Après-Midi de Doralakia est sur le point de commencer !

Zoé se pencha et, délicatement, elle déroula le tapis.

Épilogue

LES VILLES DE LA CÔTE DALCRÉTIENNE

DORALAKIA

Une croisière le long de la côte dalcrétienne s'arrête forcément à Doralakia, joyau caché de Dalcrétie. Située à la pointe de la péninsule, la ville illuminée par les lumières des maisons-tours est magnifique vue de la mer.

Les Doralakiens sont parmi les plus chaleureux et les plus hospitaliers des Dalcrétiens. Prendre le thé sur la terrasse d'une maison-tour alors que la lune se lève est une expérience inoubliable. Le port mérite le détour ainsi que la célèbre Épicerie centenaire et sa fascinante collection de boîtes de conserve.

Mais le meilleur moment pour visiter Doralakia est le jour du « Plus Long Après-Midi », lors duquel l'extraordinaire rhinocéros chantant fait toujours une apparition. Cette femelle rhinocéros émeraude du delta de Dandon a été sauvée par les Doralakiens. Quand les habitants de la ville l'ont ramenée à la bégum, celle-ci a été obligée de reconnaître que la créature se sentait merveilleusement bien à Doralakia et qu'il était sage qu'elle y reste. La bégum et sa petite fille viennent chaque année lui rendre visite.

LE RHINOCÉROS ÉMERAUDE

NOTES

Sur un mur, dans un port près du point du Cyclope :

VENEZ passer le séjour de vos rêves à bord de ce miracle de technologie nautique récemment restauré !

TRAVERSEZ les océans du monde et explorez des lieux magiques !

RÉSERVEZ dès maintenant une place pour la croisière de luxe dix escales et recevez un exemplaire du célèbre Guide Hoffendinck (nouvelle édition).

Compagnie Hoffendinck, Belvédère et Zéphyr,
croisières de qualité.

Dans la *Gazette Montmorency* :

LES CRIMES DE CLOWNS NE PRÊTENT PAS À RIRE

MLLE LUCIDA ENCREDECHINE

(De notre envoyé spécial)

Aujourd'hui, la police du port a annoncé la spectaculaire arrestation de Lucida Encredechine, directrice de l'École supérieure du port.
Les policiers, en planque dans une grande caisse de bois, attendaient que Mlle Encredechine se présente au port pour réclamer ses marchandises.

Mlle Encredechine est connue pour sa collection de chaussures artisanales et de sacs exotiques. Elle est inculpée pour avoir commandé l'enlèvement du rhinocéros émeraude au palais de la bégum de Dandon, à la Confrérie des clowns, le gang de clowns tristement célèbre qui attend en ce moment même d'être jugé. Elle avait prévu de transformer la créature en chaussures et en sacs.

Mlle Encredechine a refusé de nous livrer un commentaire, mais l'inspecteur chef Wilsden Marcheprime a déclaré : « Les crimes de clowns ne prêtent pas à rire. »

Annonces de mariage :

- Carnet blanc -

M. ET MME WINTHROP ZÉPHYR ONT LE PLAISIR DE VOUS ANNONCER LE MARIAGE DE LEUR FILLE SÉRÉNA ET D'ARTHUR HOFFENDINCK.
LA CÉRÉMONIE AURA LIEU AU PHARE DU POINT DU CYCLOPE ET SERA CÉLÉBRÉE PAR LE CAPITAINE BELVÉDÈRE. ELLE SERA SUIVIE D'UNE CROISIÈRE AU CLAIR DE LUNE À BORD DE L'*EUPHONIA*.

DORALAKIENS,
DORALAKIENNES !

LARA FULDA, LA FILLE DE L'HORLOGER, VA ÉPOUSER JON-JOLYON LÈCHECŒURCRAQUE DU GRAND BATEAU, LA SEMAINE PROCHAINE. CETTE CÉRÉMONIE SERA SUIVIE PAR UN « PLUS LONG APRÈS-MIDI ».

BAL JUSQU'À L'AUBE.
PAR ORDRE DU MAIRE
CONSTANTIN PAVEL :
PAS DE CHÈVRES SUR LES TOITS !

Extrait de *La Sirène en colère*, journal du bateau-école le *Betty-Jeanne*.

JOURNAL DU BATEAU-ÉCOLE LE *BETTY-JEANNE*.
RÉDACTEUR EN CHEF : FERGUS BONHEUR.

NOUVEAUX ÉLÈVES DANS NOTRE ÉCOLE

La Sirène en colère est heureuse de vous annoncer l'arrivée de cinq nouveaux élèves sur le bateau-école Betty-Jeanne.
Les enfants Zéphyr : Cédric, Hubert, Ernest, Toby et Zoé, nous arrivent du delta de Dandon, où leur père était ingénieur en ponts.

Les garçons ont exprimé leur désir de créer une équipe de sports de pont pour la saison prochaine. (Regardez le tableau d'affichage de l'école.)

FERMETURE DE L'ÉCOLE SUPÉRIEURE DU PORT

Le bateau-école Betty-Jeanne peut se préparer à recevoir de nombreux nouveaux élèves suite à la fermeture de

Un télégramme arrivé hier soir :

À L'ATT. DE MLLE ZOÉ ZÉPHYR • • • STOP

CLOWNS ÉCHAPPÉS • • •

STOP • • • BESOIN DE TOI • • •

STOP • • • VIENS VITE

• • • STOP • • • M. & MME CHAPEAUBAS

Paul Stewart, écrivain pour la jeunesse acclamé, a écrit toutes sortes d'histoires, d'albums pour petits aux histoires de football en passant par le fantastique et l'horreur. Avec Chris Riddell, il est le coauteur des *Chroniques du bout du monde*, publiées dans plus de trente pays. Ils ont également écrit ensemble les *Chroniques du marais qui pue*.

Zoé Zéphyr est le deuxième volume des « Aventuriers du très très loin ».

Chris Riddell est un grand artiste graphique qui a illustré de nombreux livres pour la jeunesse. Il est cocréateur, avec Paul Stewart, des *Chroniques du bout du monde* et des *Chroniques du marais qui pue*.

Zoé Zéphyr est le deuxième volume des « Aventuriers du très très loin ».

ÉMILE HOFFENDINCK

Émile Hoffendinck, écrivain, explorateur et bibliophile, est l'auteur du célèbre *Guide Hoffendinck* qui a longtemps été le compagnon idéal de tout voyageur en mer. Aujourd'hui, la nouvelle édition du *Guide Hoffendinck* est disponible pour tous les voyageurs à la recherche du surprenant, de l'incompris ou de l'inconnu.

Cet ouvrage a été réalisé par les Éditions Milan
avec la collaboration de Claire Debout.
Maquette : Bruno Douin (couverture)
et Catherine Duguet (intérieur)

Achevé d'imprimer en France par Aubin
Dépôt légal : 3e trimestre 2007
N° d'impression : L 71317